Nadine Desc...

S0-AKH-512

Les secrets du divan rose

N° 10

Un cœur sur le sable

Catalogage avant publication de Bibliothèque et Archives nationales du Québec et Bibliothèque et Archives Canada

Descheneaux, Nadine, 1977-

Un cœur sur le sable

(Les secrets du divan rose ; 10)
Pour les jeunes de 12 ans et plus.

ISBN 978-2-89595-764-5

I. Titre. II. Collection: Descheneaux, Nadine, 1977-   .
Secrets du divan rose ; 10.

PS8607.E757C63 2014   jC843'.6   C2014-940273-2
PS9607.E757C63 2014

Auteure : Nadine Descheneaux
Illustration de la couverture : Jacques Laplante
Graphisme : Julie Deschênes et Mika

La typographie utilisée pour la création de la signature de cette série est la propriété de Margarete Antonio.
Tous droits réservés.

Dépôt légal – Bibliothèque et Archives nationales du Québec, 1er trimestre 2014

ISBN 978-2-89595-764-5

Gouvernement du Québec – Programme de crédit d'impôt pour l'édition de livres – Gestion SODEC
Boomerang éditeur jeunesse remercie la SODEC pour l'aide accordée à son programme éditorial.

Nous reconnaissons l'aide financière du gouvernement du Canada par l'entremise du Fonds du livre du Canada (FLC) pour nos activités d'édition.

Imprimé au Canada

ASSOCIATION NATIONALE DES ÉDITEURS DE LIVRES

*Dans la vie de chaque fille,
il y a un été inoubliable où
tout a commencé.*

Lu et trouvé sur Pinterest

À toutes les lectrices qui ont plongé
dans les histoires de Frédérique
et qui sont venues m'en parler
dans un salon du livre ou dans une école.
Merci d'avoir fait vivre cette série.

À Adèle.
Parce que je te souhaite une vie rose
et un cœur qui n'en finit plus d'aimer…

1

«Elle, cette Miss Yoga trop parfaite, tu peux être certaine qu'elle ne sera JAAAAMAIS mon amie!»

Je suis à Cape Cod pour l'été, autant dire le bout du monde. Loin de chez moi. Loin de mes amies. Loin de Frédéric. Loin de mon divan rose. Loin de toute ma vie. Loin. Loin. Loin. Trop loin.

J'ai pleuré. J'ai supplié. J'ai ragé. J'ai négocié. J'ai hurlé. J'ai argumenté. J'ai boudé. J'ai re-pleuré. J'ai joué la comédie. J'ai ouvert mon cœur. J'ai menacé. J'ai pesé les pour et les millions de contre. J'ai proposé. J'ai grogné. J'ai braillé. J'ai tout fait. Vraiment. Ça n'a rien changé.

« Frédérique, peu importe ce que tu dis, on part pour Cape Cod pour six semaines. C'est comme ça ! C'est la vie ! »

On partait jusqu'à la fin du mois d'août. Aussi bien dire que j'allais rater mon été. Tout mon été.

J'ai eu beau expliquer cela à ma mère, elle n'a pas bronché. Elle habituellement si conciliante, si cool comparativement aux mères de mes amies, si touchée par mes confidences, elle n'a pas bronché.

Pourtant, je lui ai dit clairement : « Je rate l'été de ma vie. Tu gâches ma vie entière ! » En fait, pour tout dire, je lui ai même crié ces paroles par la tête. Je n'avais jamais été aussi émotive. Je ne me reconnaissais plus moi-même quand je les ai dites. Elle, ça ne l'a pas atteinte du tout. Elle a continué à sourire un peu nounounement. « Tu ne pourras rester fâchée bien longtemps quand tu vas voir où on va habiter pendant tout l'été... Crois-moi ! »

C'est ce qu'elle pensait.

Moi, je suis capable de bouder. Oh oui ! Ça n'arrive pas souvent, mais là... ce sera la totale ! Je suis tellement fâchée contre ma mère. Partir tout l'été pour Cape Cod, sur la côte est américaine, alors que je m'apprêtais à vivre un autre bel été avec mes amies... et aussi Frédéric.

Eh non ! Au lieu de ça, je dois suivre ma mère qui a obtenu un contrat dans une minuscule compagnie de théâtre d'été. Bon, si je n'étais pas si pessimiste, je dirais que la pièce écrite et montée par cette compagnie risque d'avoir un succès fou et que c'est vraiment une belle opportunité pour ma mère de créer des costumes époustouflants pour les acteurs ainsi que de les coiffer et de les maquiller, mais là je me dis que c'est une troupe de théâtre qui ne joue que sur le bord de la plage, à une heure de Boston. Pff !

J'aurais mieux aimé New York. Je me serais plus imaginée déambulant dans les rues de la Grosse Pomme, me promenant à Time Square, allant voir un spectacle à Broadway, magasinant sur la 5e Avenue, me baladant dans Central Park (et même allant au zoo!), grimpant dans la statue de la Liberté, mangeant dans des restos cool et visitant deux ou trois musées intéressants.

Mais non! Il a fallu que la troupe de théâtre joue tout l'été dans une petite ville de Cape Cod. Un trou perdu... qui a pour unique attrait d'être sur le bord de la mer.

Pff! La mer! Parlons-en!

Après avoir roulé pendant un peu plus de sept heures, on est arrivées ici de nuit, hier. Il faisait noir et on ne voyait rien. La mer, je ne l'ai pas vue du tout. Je somnolais sur la banquette arrière pendant que ma mère faisait des appels téléphoniques pour régler mille détails de notre exil estival. Pendant tout le trajet, je n'ai pratiquement pas dit un mot. Mes sourcils étaient froncés, ma bouche, pincée et mes épaules, remontées.

Voilà la position idéale pour bouder. Je l'ai testée.

Parce que, hier soir, la noirceur était déjà tombée et qu'il n'y avait aucune trace de lune dans le ciel, je n'ai pas vu l'extérieur d'horreur de la maison où on habite avant ce matin. C'est presque une chance. Déjà que la petite maison ne m'impressionnait pas de l'intérieur : deux chambres, une cuisine, un salon et une salle de bain. Même pas de sous-sol. Facile à résumer : des murs blancs et des décorations style « bord de mer » (les propriétaires n'ont pas cherché leur inspiration trop loin !). C'est tout ! Même pas d'air conditionné. Vu de l'extérieur, c'est encore pire. J'ai eu un choc tantôt en la voyant ainsi. On pourrait croire que c'est une maison abandonnée. Presque hantée. Elle n'est pas juste inquiétante, elle est sinistre. D'abord, elle semble être en carton. En fait, c'est du bois gris déprimant et, comparativement aux autres maisons autour, elle est microscopique. Tant qu'à passer un été ailleurs que chez nous, j'aurais aimé une immense maison.

En plus, on n'est même pas directement sur la plage. On doit marcher pour s'y rendre et je ne vois pas un minuscule bout de l'océan de ma chambre (ni des autres fenêtres de la maison!). Je n'ai pas pu m'empêcher de rapporter cette information cruciale à ma mère. Ne pas voir la mer quand on passe l'été à la plage, c'est inimaginable... Ça sert à quoi?

« Du calme, Frédérique! Il y a pire que la mer comme vacances d'été! Et on déménage dans quelques jours, ici ce n'est que temporaire. »

Elle m'énerve, ma mère. Surtout quand elle a raison (il y a pire comme destination estivale: le fin fond d'un bois avec comme seuls voisins une colonie de maringouins agressifs ou un camping sans électricité, sans wi-fi, sans rien!), quand elle ne perd pas patience devant mon comportement désagréable et quand elle a une solution à tout (une autre maison ? – l'espoir renaît en moi !). Bref, ces temps-ci, elle m'énerve.

J'aurais aimé déceler chez ma mère un signe qu'elle était sur le point de craquer et de m'autoriser à retourner au Québec. Mais non ! Je suis encore ici ce matin. J'ai refait la supplication ultime auprès de ma mère en lui disant que j'étais prête à faire le trajet en autobus, toute seule. Je lui ai dit qu'elle devrait me faire repartir parce que, plus tard, elle s'en mordrait les doigts de m'avoir éloignée de mes amis durant tout un été.

Ça n'a pas marché.

J'ai donc continué à bouder.

Dix-sept heures après mon arrivée, je boude encore.

Ma grosse colère et moi, on s'est habillées et on est parties à la plage. Parce que c'était le matin, je croyais que l'air était frais, alors j'ai enfilé mes jeans préférés, ceux qui sont un peu troués aux genoux, mon chandail rayé et mes Converse roses. Mauvais choix : j'ai eu vite trop chaud. Il flotte dans l'air une bruine humide. C'est collant ! C'est pesant ! Ça y est, mes jeans se collent à mes jambes et les enserrent. Mon chandail me fait une deuxième peau et je peine à en relever les manches, car le tissu est mouillé. Je transpire de partout, même derrière les genoux. Peut-être que la colère, la déception et la tristesse qui bouillent en moi augmentent ma température corporelle et ravivent la production de sueur. Toutefois, je n'ai aucune envie de faire demi-tour, alors je continue à marcher, en bougonnant, bien sûr.

Après sept grosses minutes de marche, je trouve finalement la mer. On n'est pas si loin.

Sur une petite butte isolée, je m'assois. J'encercle mes genoux de mes bras et je pose ma tête sur cet oreiller de fortune. La mer est là devant moi. Avec ses vagues, ses bruits, l'air salin qu'elle provoque, sa grandeur et sa supposée beauté. Pourtant, je ne la vois pas, la mer. Je ne vois rien. Un écran me bloque la vue. Un écran en dedans de moi.

Ce que j'entends, c'est ma colère qui gronde. Elle bourdonne comme un moteur qui n'en finit plus de tourner. La vibration de cette émotion résonne dans toutes les parties de mon corps. Je baboune. Parce que c'est facile de le faire. Mais, très vite, j'ai envie de pleurer.

Peut-être que je n'ose pas l'avouer, mais j'ai peur que Rosalie, Emma et Zoé passent un plus bel été que le mien. Pas juste une petite peur, là! Une énorme peur. Quelque chose qui me gruge par en dedans et qui prend toute la place dans mon cœur, dans ma tête, partout.

Mes amies ont mille projets à réaliser, elles! Comme essayer au moins dix sortes de crèmes glacées, organiser un party dans la cour chez Zoé (ses parents ont enfin dit oui!), dormir dans une tente et voir tous les films qui sortiront au cinéma, entre autres. En fait, NOUS avions fait mille projets. J'étais là quand nous les avions notés sur un grand carton. Ce soir-là, je ne savais pas que je partirais pour Cape Cod avec ma mère. J'étais absolument certaine que j'allais vivre LE plus bel été de toute notre vie, celui dont je me souviendrais toujours.

Plus je me rappelle cette soirée, plus les larmes piquent mes yeux.

Nous étions toutes les quatre collées sur MON divan rose (mon divan que je n'ai évidemment pas pu emporter en vacances avec moi ! Ma mère a levé les yeux au ciel quand je le lui ai demandé ! « Franchement, Frédérique ! Il va t'attendre, ton divan ! Est-ce que je pars avec la table du salon ? On part pour un été, pas pour toute la vie ! »). Ce soir-là, nous parlions et riions si fort que ma mère devait venir nous demander de baisser le volume toutes les dix minutes. Ce n'était pas notre faute : quand on a trop de bonnes idées en même temps, on dirait qu'on parle plus fort sans même s'en rendre compte. Ce soir-là, j'avais pris trois ou quatre secondes pour nous photographier mentalement. C'est rendu une habitude pour moi de ramasser des souvenirs dans ma tête[1]. L'image, je la vois : Rosalie et moi qui nous tenions par le cou en faisant des grimaces, Zoé assise sur le dossier du divan qui faisait le signe de *peace* et Emma étendue par terre, juste à nos pieds, pliée de rire... parce qu'elle venait de débouler du divan. Ce soir-là, je ne savais pas que mon été était sur le point de subir une transformation extrême... Ce soir-là, j'étais heureuse. J'avais mes amies près de moi. Je me sentais bien.

Aujourd'hui, je suis malheureuse. J'ai perdu mes amies pour l'été et je me sens terriblement loin. Ça y est : mes larmes coulent.

---

[1] Voir le 6e tome de la série : *Un été sucré.*

Et juste au moment où je réalise que j'ai peur que mes amies m'oublient, me remplacent, me rayent de leur vie ou je-ne-sais-trop-quoi-encore, j'entends : « *You should have slip flop. It's the better shoes at the beach ! It's all you need !* »

Je sursaute, évidemment. Je me croyais seule sur la plage et je n'ai entendu aucun bruit m'indiquant que quelqu'un approchait. Il faut dire qu'avec le bruissement régulier des vagues, tous les sons sont un peu étouffés. Cependant, je suis un peu choquée de savoir que quelqu'un me regardait pleurer sans se manifester. C'est à la limite pas très poli.

Rapidement, je tourne sur moi-même, regarde à gauche, puis à droite. Je cherche une présence, un mouvement. Rien. Puis je lève un peu les yeux. J'ai trouvé.

Cette phrase provient d'une fille assise en indien, immobile, le dos bien droit, les mains posées sur les genoux, sur une traînée de gros rochers à quelques mètres de moi. Deux questions me martèlent les méninges : « Comment ne l'ai-je pas vue ? » et « De quoi elle se mêle ? » Je sens qu'on empiète sur mon territoire. D'abord mon territoire physique : cette fille est bien trop dans ma bulle, surtout quand je pleure et ne cherche qu'à avoir la paix. Et puis mon territoire personnel : je ne lui ai jamais demandé conseil pour savoir comment m'habiller à la plage. Qu'elle s'occupe de ses affaires et pas des miennes.

Malgré tout, je ne sais pas quoi lui répondre. Le pire, c'est que je pense qu'elle n'attend pas de réponse. Miss Parfaite ne me regarde plus. Son regard est planté quelque part au loin sur la mer. Je l'observe qui prend de grandes inspirations et pousse de longues expirations à un rythme lent et régulier. C'est clair : elle ne se soucie plus de moi. Et c'est tant mieux ! Parce qu'elle m'énerve déjà! Je ne l'ai pas sonnée. Elle n'avait aucun droit de me regarder et de se permettre un petit commentaire.

Je bondis sur mes pieds. Impossible de rester ici deux minutes de plus. Malheureusement, la plage n'est plus un refuge. Je ne peux pas pleurer librement si je sais que quelqu'un m'observe. Je cherchais la paix. Juste la paix.

Je sors mon iPod de la poche de mes jeans et je tape :

> Elle, cette Miss Yoga trop parfaite, tu peux être certaine qu'elle ne sera JAAAAMAIS mon amie !

avec toute la hargne possible qui peut vivre en moi. Et de la hargne, il y en a beaucoup.

Sur le chemin du retour jusqu'à l'abominable maison, je remarque que ma respiration est tout sauf calme. Ma poitrine est hyperactive et se soulève en soubresaut en moins de deux secondes. Tout le contraire de Miss Yoga et de son état de relaxation, finalement.

2

«Rosalie, je ne me reconnais plus.»

En rentrant de la plage, je suis allée directement dans ma chambre sans même regarder autour si ma mère était là et j'ai claqué la porte. Chez moi, j'aurais sauté sur mon divan rose et j'y aurais pleuré librement toutes les larmes de mon corps. Mais, là, il n'y a qu'un petit lit aux ressorts qui grincent chaque fois qu'on bouge un peu. Charmante musique !

J'envoie un texto à Rosalie.

> Rosalie, je ne me reconnais plus.

J'aimerais tellement qu'elle me réponde. Non, mieux: qu'elle me prenne dans ses bras. Je ne me reconnais plus du tout. Généralement, je ne suis pas comme ça. Je suis la positive, la dynamique, celle qui remonte le moral des troupes, celle qui suit ses passions et qui voit le rose avant le gris dans la vie. Sauf que, là, cette Frédérique, je ne la trouve plus. Disparue. Cachée. Partie.

Je sais ce qui me fâche aussi.

1) Habituellement, je ne suis pas comme ça.

2) Je suis comme ma mère.

Et ça, c'est terriblement énervant ! Eh oui, ma mère et moi, nous nous ressemblons. Quand j'ai un projet en tête (et à cœur !), je n'en démords pas. Solide, je reste sur ma décision et suis prête à défendre mon point de vue devant n'importe qui. C'est exactement ce que ma mère a fait avec son histoire de passer l'été à la plage. Que je le veuille ou non… ma mère est mon sosie. Ou vice versa.

La boule d'émotions en moi continue d'enfler. Je voudrais pleurer, mais on dirait que j'en suis incapable. Mes larmes sont prisonnières en moi. Je n'arrive plus à les laisser couler même si je sais que je suis seule dans ma minuscule chambre.

Je redoute encore une intrusion dans ma bulle si je me laisse aller. Ma mère pourrait surgir et cette simple pensée est suffisante pour faire un barrage à mes larmes.

Pourtant, j'ai tellement besoin de pleurer. C'est fou comme ça peut être un besoin. Un besoin urgent, presque aussi pressant qu'une envie de pipi, parfois. Je me demande quel est le processus interne de la production des larmes. Qu'est-ce qui se déclenche en nous pour qu'elles nous piquent les yeux et s'agglutinent sous nos paupières en attendant le signal pour dégringoler? Comme maintenant, pourquoi est-ce que je ressens une forte envie de pleurer, mais qu'aucune larme ne semble être disponible? C'est l'orgueil qui les freine? Pourtant, je sais que si je pleurais un bon coup, j'éliminerais un peu de ma colère. Quand les larmes coulent, elles ne goûtent pas seulement un peu salé. Elles ont le goût de nos émotions. Leur boulot est de diluer ce qui nous fait mal à l'intérieur. Les larmes soulagent. Elles donnent une chance à notre cœur de se débarrasser des peines qui l'enserrent. Libératrices! C'est ça! Elles sont libératrices.

Chaque fois que je pleure, je me sens mieux ensuite. J'arrive même à mieux respirer. Fini la sensation d'oppression quand on a l'impression d'étouffer, tellement nos émotions sont grosses et envahissantes! Pour marquer la fin d'une crise de larmes, je pousse souvent un long soupir. En fait, j'expire tout l'air qui se trouve dans mes poumons, mais on dirait presque que je crache, au passage, toutes les miettes d'explosion des émotions qui restent en moi. Bye, bye! Je n'en veux plus. Ensuite, je suis prête – et surtout plus en forme – pour continuer le reste de ma journée.

Un souvenir me revient en mémoire. En classe en mai dernier, on avait un important examen en mathématiques, dans l'après-midi. Le genre qu'il faut absolument réussir. Malgré le fait que j'avais vraiment bien étudié, j'ai eu les mains qui tremblaient tout l'avant-midi. Mon stress était à son maximum. Les maths ne sont pas ma matière préférée! Des efforts, il faut que j'en mette le double pour bien réussir. Bref, j'étais nerveuse. Tellement que, durant le dîner, entre une bouchée de sandwich jambon, fromage, olives, moutarde forte et une gorgée de jus de canneberges, je me suis mise à pleurer. Comme ça. Uniquement parce que mon stress voulait sortir hors de moi, je crois bien. Emma, Zoé et Rosalie étaient estomaquées et surtout absolument certaines que je leur cachais une terrible nouvelle. Mais non, c'était juste un trop-plein qui ne demandait qu'à déborder. Le plus étonnant, c'est qu'après cette crise de larmes, j'étais apaisée et mes mains ne tremblaient plus. Quand c'est trop pris par en dedans, il faut que ça sorte d'une façon ou d'une autre…

Je me demande si, pour faire du yoga, il faut prévoir une bonne séance de larmes avant. Pour se vider. Pour être prête à relaxer vraiment. Je ne sais pas.

Parce qu'il m'est impossible de pleurer pour le moment, je décide d'écrire un courriel à mes amies. Peut-être que si je leur donne signe de vie souvent, elles ne m'oublieront pas. Rosalie ne répond pas à mes textos. Je me demande si c'est normal. Et s'il leur était arrivé quelque chose de grave ? Je me raisonne et m'installe avec mon ordinateur portable sur le lit. Je compose un message collectif que mes trois amies recevront en même temps et dans lequel j'essaie d'avoir l'air un peu heureuse. J'use même d'humour pour leur décrire en détail la maison. Mais plus le message grandit, moins ce qui en émane est joyeux. Je finis par leur avouer que je ne trouve pas l'endroit merveilleux du tout et que je m'ennuie terriblement d'elles. Je poursuis en leur racontant comment j'ai rencontré ma future ennemie sur la plage ce matin. Je crois que ce passage va les faire sourire. Finalement, mon courriel est un méli-mélo d'anecdotes, de confidences et de chialage. Mais l'écrire m'a fait du bien ! Je ne peux pas prétendre que je comprends mieux comment je me sens, toutefois j'y ai déversé une micro-partie de ma peine. Je me sens un peu plus libre. Même sans avoir pleuré. Mes épaules sont moins crispées et je respire un peu plus calmement. Imaginer les visages de mes amies quand elles vont lire mon compte rendu me fait sentir plus près d'elles... malgré tous les kilomètres qui nous séparent. Et j'adore écrire. Je pourrais peut-être en prendre l'habitude et, ainsi, j'aurais l'impression de leur raconter mon quotidien de vive voix. Je me relis en vitesse et réussis à sourire faiblement. Je me sens un peu moins loin. Puis je clique sur « Envoyer ». Je ferme les yeux. Dans quelques secondes, mes écrits vont rejoindre mes amies.

Quand je rouvre les yeux, mon message est toujours dans la boîte des messages à envoyer. Et un message m'annonce une terrible nouvelle : « Impossible pour le moment d'envoyer les courriels de la boîte d'envoi. »

Argggggh !

Pas de connexion Internet disponible ! Mais où vivons-nous ?

Je fonce trouver ma mère. Là, c'est vraiment le bout ! Je ne peux pas rester ici si je ne suis même pas capable de communiquer avec mes amis. Aucun sens !

D'un seul coup, je balance la nouvelle à ma mère en spécifiant qu'il est impensable que je reste ici plus longtemps si je n'ai pas une connexion Internet fiable et si je ne peux pas envoyer de textos. Je fais une crise monumentale. En même temps, je lui rappelle que c'est vraiment une mauvaise idée de partir pour tout l'été. J'explose de colère en lui radotant ce que je lui ai déjà dit mille fois. Mais c'est plus fort que moi. Je suis trop trop trop en colère. À la fin, je n'arrive plus à parler… parce que je pleure. Je pleure à chaudes larmes. Dans les bras de ma mère.

Enfin, les larmes.

Un flot de larmes.

Une mer de larmes.

Un torrent de larmes.

Elles coulent sur mes joues, dans mes cheveux, dans mon cou. Elles tombent sur mon chandail, mouillent l'épaule de ma mère et rougissent mes yeux. En même temps, je suis secouée par mille sanglots incontrôlables qui me font hoqueter et qui rendent ma respiration saccadée. J'ai du mal à reprendre mon souffle. La tête enfouie dans le cou de ma mère, je veux que ce moment dure assez longtemps pour que toute ma peine soit évacuée de mon corps. Je ne la veux plus ! Je veux m'en débarrasser. Je ne veux plus me sentir aussi mal.

Peu à peu, je reprends mon souffle. Les larmes ralentissent leur glissade. Quelques derniers soubresauts viennent vider les restes de ma peine et de ma colère.

Je me sens mieux. Mais je ne bouge pas.

Ma mère continue de me flatter les cheveux longtemps après que mes larmes se sont finalement arrêtées de couler. Pendant tout ce temps, on ne dit rien. Le silence est plein de toutes les émotions traduites par mes pleurs. Ma tête sur son épaule, mon nez enfin décollé de son cou, ma mère me berce en

faisant de simples « chuuut chuuuut »,
« tss tsss ».

L'orage est passé. La boule en moi a
dégonflé. Je respire librement. Fini la
sensation d'être oppressée. De manquer
de place en moi.

Intérieurement, j'espère que ma mère
ne me questionnera pas. J'ai zéro envie
de parler. J'avais besoin de pleurer, c'est
fait. Maintenant, je veux simplement
remettre mes morceaux et mes idées en
place. Comme un casse-tête. Question
de me retrouver.

— Ça va mieux ? se risque ma mère.

Pas de doute, elle sent que l'atmosphère est encore tendue.

— Moui, que je réponds en me décol-
lant d'elle tout en essayant d'enlever les
cheveux plaqués sur mon visage.

— De quoi as-tu envie là, tout de
suite ? me demande-t-elle.

— De dormir, je pense…

— Ok.

Et sans rien ajouter, je me lève et me dirige vers ma chambre. Juste avant de franchir la porte, je rebrousse chemin et retourne vers ma mère. Je lui donne un bisou et repars vers mon lit.

« Là, tout de suite,
c'est quand ? »

J'aurais pensé que ma crise de larmes aurait chassé toute ma colère pour de bon. Eh non ! Quand je me réveille quelques heures plus tard, ma rage semble être revenue. Je suis mieux, c'est vrai. Cependant, je suis encore fâchée d'être ici. Comme une mauvaise herbe qui se faufile et se propage rapidement, ma colère et ma tristesse s'enracinent en moi, certes avec moins d'intensité qu'avant, mais quand même… elles sont encore là. Pas facile de se débarrasser de ces colocataires indésirables.

Une phrase hante mes pensées : « De quoi as-tu envie là, tout de suite ? » Bien sûr, je pourrais répondre : « Retrouver mes amies », « Ne pas être à Cape Cod » ou « Être avec Frédéric au parc à jaser. »

Mais tous ces rêves sont impossibles. Dans la même catégorie de réponses irréalisables, il pourrait y avoir : « Nager avec des dauphins », « Me téléporter dans la statue de la Liberté » ou d'autres délires étranges. Toutefois, je peux trouver une réponse intelligente, possible et qui me fera réellement du bien.

Tantôt, j'avais par-dessus tout envie de dormir. Je l'ai fait. Ça m'a fait du bien.

Maintenant, quoi ?

Si j'avance à petits pas, peut-être que ça ira mieux ?

Je sais ce que je veux, là tout de suite maintenant.

— Maman, je veux téléphoner à mes amies et à Frédéric. Et je veux qu'on trouve un café Internet ou une place civilisée avec connexion. On peut ?

— Tout de suite ?

— Oui ! C'est toi tantôt qui disais que…

Je n'ai pas besoin de lui rafraîchir la mémoire trop longtemps. Ces paroles, elle s'en souvient très bien. Je souris. Elle va dire oui. Surtout si je lui fais mes yeux piteux et un sourire suppliant, elle ne pourra pas résister.

— Ok, allons-y ! Mais j'ai une heure exactement. On commence par quoi ?

— Le téléphone ! Et en se promenant, on va sûrement trouver un endroit où on aura des ondes, sinon on cherchera un café Internet.

— Marché conclu ! *Go !* On part.

Nous avons trouvé un petit parc, à une rue de la plage, où j'arrive à capter des ondes cellulaires sur le iPhone de ma mère. Celle-ci a garé sa voiture et est partie se promener dans les sentiers pendant que je faisais mes coups de fil.

D'abord, j'ai composé le numéro de Rosalie. Trop chanceuse : Emma était chez Rosie, alors j'ai eu droit à un deux pour un. Parfait ! Ma mère m'a donné droit à deux appels. Je n'ai même pas tenté de téléphoner à Zoé : les filles m'ont dit qu'elle était en pleine séance d'entraînement. Un classique, quoi ! Avec elles, j'ai expliqué ma colère et ma tristesse, encore une fois. Elles commencent à connaître ma chanson de chialage, je n'arrête pas depuis que j'ai su la nouvelle. Je les ai fait rire avec Miss Yoga Parfaite. Le plus merveilleux : Rosalie et Emma ont pensé exactement comme moi. C'est sûrement une chipie, cette fille dont-on-ne-sait-pas-le-nom. Emma prétend qu'elle n'avait pas à me déranger : « Surprendre quelqu'un qui pleure tout seul, surtout quelqu'un que tu ne connais même pas, c'est vraiment pas cool ! C'est rentrer sans cogner dans son intimité ! » Rosalie estime que cette inconnue distributrice de conseils ne connaît rien à la vie au bord de la mer. « À la plage, on se promène nu-pieds, voilà tout ! Vraiment, Frédérique, tu aurais dû m'emmener dans tes bagages ! Juste pour te dire comment t'habiller ! Ce sont MES conseils, les meilleurs ! » Ça m'a fait rire et j'en avais bien besoin. Bon, j'ai également compris que Rosalie, elle, ne se ferait pas prier pour rester tout l'été au bord de la mer. Elle serait partie sans aucun remords, ni regret, ni doute, ni peine et surtout pas de colère envers sa mère. Elle aurait fait ses bagages en trois minutes et aurait attendu l'heure du départ avec un sourire de bonheur accroché au visage. Je sais, je sais, elle me l'a déjà dit. J'ai terminé l'appel en leur promettant de leur raconter mes prochaines aventures sur la plage par courriel (si on finit par trouver un endroit avec connexion Web !) et mes amies ont promis de me répondre rapidement et de me faire des résumés de leurs aventures aussi.

Le choix de mon deuxième appel a été facile : Frédéric. Coup de chance, il était chez lui.

Sa voix. Juste sa voix ! Ohhh !

D'abord, quand j'ai dit : « Allo, Fred ! C'est moi, Fred ! » – c'est la phrase qu'on se dit toujours, comme un rituel ! –, il a tout simplement explosé de joie. « Yahoooou, Fred ! Je suis tellllllllllllle-ment content de te parler ! » Dans sa voix surexcitée, j'entendais sa surprise, je voyais ses yeux pétillants et j'imaginais sans peine son immense sourire ultra joyeux. Ensuite, on a parlé de plein de trucs en vitesse. J'ai raconté Miss Parfaite, la maison laide et ma non-connexion Web. Il m'a décrit sa première journée comme moniteur de camp de jour avec les tout-petits de cinq et six ans, sa chicane avec son meilleur ami et sa déception de ne plus pouvoir faire de jogging, car il est trop fatigué.

On rattrapait les quelques derniers jours. Je sais bien que l'énergie et la bonne humeur ne voyagent pas à travers un fil de téléphone, mais c'est fou comme mes émotions se sont raccordées à celles de Fred. Même quand je parlais de ma colère intense, de ma peine d'être loin et de mon ennui, Frédéric a réussi à calmer ma tempête intérieure. Il n'a pas dit : « C'est pas si grave ! » Ça, je ne l'aurais pas pris. J'aurais même été encore plus fâchée. Quand on a de la peine, on ne veut pas savoir si elle est grave ou non. Une peine, c'est tout le temps grave. Ça fait tout le temps mal, qu'elle soit grosse, petite ou « moins pire » que celle de quelqu'un d'autre. Non, Fred m'a juste dit : « Donne-toi du temps ! Et n'oublie pas qu'on est tous les deux, en fait toute la planète entière, sous le même et unique soleil, sous la même lune. On n'est pas si loin, ma petite étoile. » J'aime quand il m'appelle « ma petite étoile ». Il dit que c'est ce que j'ai dans les yeux quand je parle. Une chance qu'on ne faisait pas une conversation vidéo, sinon il aurait vu que j'ai plutôt, dans les yeux, des nuages, des restants de tempête et la menace constante d'un autre orage. La météo n'est pas douce. Mais l'entendre m'appeler ainsi m'a redonné le sourire. Ces mots m'ont propulsée directement dans mes souvenirs. Je nous revoyais ensemble au parc, à l'école, quand on étudie ou quand on regarde un film. Le temps filait, il a fallu raccrocher. J'ai dit : « Je t'aime, Fred. » Il m'a dit : « Je t'aime, Fred. » C'est un autre rituel, encore. Et là, j'ai attendu qu'il raccroche. J'étais totalement incapable de le faire la première. Quand j'ai entendu le clic final, j'ai réellement senti mon cœur se tordre. Déjà terminé. Outch ! Ça faisait mal. Je savais que je n'entendrais pas sa voix avant quelques jours au moins. Mon doigt trèmblait un peu quand j'ai voulu appuyer sur « Terminer » sur le iPhone. Mes yeux piquaient... encore une fois. Pourtant, je ne voulais plus de larmes. Ça suffisait quand même pour aujourd'hui ! J'en ai essuyé quelques-unes du revers de la main et j'ai pris une grande inspiration. C'est à ce moment que ma mère est revenue vers moi. Elle m'a prise par les épaules pour retourner à la voiture. Elle m'a dit : « Frédou, je veux te montrer quelque chose ! »

On a donc parcouru quelques rues encore et pris une route bordée de magasins de souvenirs aux devantures remplies de matelas pneumatiques, dont certains en forme de dauphin et de grenouille, de bouées, de parasols, de planches de surf, de chaises de plage et de serviettes colorées. Ça sentait les vacances à plein nez. Le soleil avait eu le temps de grimper haut dans le ciel, et plus aucun nuage n'était visible jusqu'au bout de l'horizon. J'aurais aimé que ma météo intérieure soit semblable. Mais le nez au vent dans l'air salin, même à des kilomètres de mes amis et de ma vraie vie, je commençais à aimer Cape Cod. Juste un peu. Mais je ne le dirai pas à ma mère.

Puis ma mère a pris une petite route étroite juste à côté de la plage. L'eau, je la voyais très bien entre les maisons. Elle était tout près. Oh ! J'ai eu un flash. On était dans la rue que j'ai empruntée ce matin pour me rendre à la plage. Ma mère s'est arrêtée devant une grande maison et a dit : « C'est ici qu'on va rester tout l'été. On déménage dans cinq jours. »

J'étais vraiment surprise. Cette maison aux murs couleur sable est tellement plus sympathique que celle où on demeure présentement. On n'a pas pu la visiter ni en faire le tour : des gens l'occupaient. Mais j'ai pu voir qu'il y a un balcon à l'arrière, face à la mer. Je l'ai trouvée belle, cette maison, et, du coup, je me suis dit que je peux sûrement être heureuse ici.

Et, en souriant tout plein, j'ai pensé aux exclamations que fera Rosalie quand je lui décrirai ma nouvelle maison de plage.

Une heure et quatre minutes plus tard, je suis donc de retour dans ma chambre, le cœur léger comme une plume au vent.

Transportée par ma nouvelle bonne humeur, je décide de retourner à la plage... en gougounes. Pas pour faire plaisir à Miss Parfaite, mais parce que j'ai bien l'intention de tremper mes orteils dans l'océan. J'enfile mon maillot et une robe soleil par-dessus, et hop ! je suis prête. Pratique quand même de s'habiller en mode « plage » ! On a besoin de presque rien.

Dès que je pose les pieds sur le sable, j'enlève mes gougounes. Pieds nus !

Wow! Le sable est brûlant. Je me dépêche pour trouver le rivage. Le contraste est un peu saisissant, mais j'adore la sensation. Il n'y a presque personne sur cette partie de la plage. Quelques familles qui s'amusent à construire des châteaux de sable, des couples qui lisent, des gens qui dorment, d'autres qui déambulent comme moi sur le bord, là où les vagues viennent s'échouer. Plusieurs marcheurs que je rencontre me saluent et certains ne me font qu'un signe de tête ou un sourire. Tout le monde semble être de bonne humeur. Je les imite. J'accroche un sourire sur mon visage.

Perdue dans mes pensées, je n'ai pas vu la collision se préparer.

Bang! J'ai foncé directement dans... Miss Yoga Parfaite.

— *Ohhh! Sorry!* lance-t-elle en me retenant par le bras pour m'empêcher de tomber les fesses dans l'eau.

— C'est correct! que je grogne en me relevant et en me défaisant de son emprise.

Pff! Je n'ai pas besoin d'elle.

— Oh! Tu parles le français, dit-elle avec un épouvantable accent.

— Je parle français. Pas LE français, fais-je pour la corriger.

— Je fais fautes, mais aime beaucoup la langue. Je m'appelle Kathy, et toi?

— Frédérique.

— Oh! Frédérique? *Really?* C'est un nom de garçon!

— Ben non! que je réponds, offusquée. Tu vois bien que je suis une fille. Ben, en fait, c'est aussi un nom de garçon, mais chez nous, c'est aussi un prénom féminin!

Oh là, qu'elle m'énerve! Elle pense tout savoir ou quoi? Je tourne les talons et je pars. Je ne me laisserai pas insulter comme ça. Pff! Un nom de garçon. Je bous. J'aurais voulu que Rosalie soit là, elle aurait été bonne pour lui clouer le bec. Moi, je n'arrive jamais à trouver une bonne réplique.

Je n'ai pas le temps de faire trois pas qu'elle me rattrape. C'est sûr, avec ses grandes jambes !

— Quoi encore ? lui crié-je, un peu exaspérée.

— Tu es dans un meilleur *mood* que ce matin, non ?

— Hum hum, lâché-je sans arrêter de marcher ni même la regarder.

— *You know, beach fixes everything…*

— Hum hum…

— Je reste à la plage *all summer*. Peut-être on peut se voir…

— Hum hum…

Dans ma tête, je lui dis : « Se voir ? Non merci ! » Je n'en ai tellement pas le goût !

On marche en silence côte à côte pendant une minute à peine. Mais c'est long ! Quand on n'a rien à dire, soixante secondes de silence, c'est une épreuve interminable. Je n'ai pas vraiment envie de lui parler. Je ne sais pas quoi lui dire. Elle m'énerve un peu. Elle a le don d'apparaître dans des drôles de moments. Et puis, je n'aime pas parler anglais. J'ai trop peur de faire des erreurs.

Et surtout, je ne veux pas d'une nouvelle amie. J'en ai, des amies. Trois merveilleuses. Elles sont loin, mais elles sont mes amies à moi. Franchement, je n'en ai pas besoin d'une autre. Pas d'elle en tout cas ! Une fille qui pense tout savoir (ça m'énerve !), qui semble totalement heureuse d'être à la plage (moi, je baboune !), qui est calme et détendue (alors que je suis une boule de nerfs !) et qui dit tout ce qu'elle pense tout le temps (elle croit que ça m'intéresse, peut-être ?)...

Là, tout de suite, je veux qu'elle s'en aille. Mais elle ne semble pas comprendre que sa présence me dérange, même si je ne lui réponds que par sons étranges.

— Tu parles pas beaucoup.

Je ne réponds pas. Quoi ? Ce n'est même pas une question. Vraiment, je n'en peux plus. C'est trop.

Je me sens attaquée et prise au piège. Miss Parfaite – ah oui, Kathy, c'est vrai ! –, je la vois comme une pieuvre aux longs tentacules qui veut s'accrocher à moi. Ouste ! Bye ! Cette pensée suffit pour me faire dire :

— Je dois partir. Mes amis m'attendent. Bye !

Rapidement, je lui tourne le dos et je pars dans la direction opposée. Enfin débarrassée d'elle. Elle n'a aucunement besoin de savoir que mes amis m'attendent seulement en pensée et qu'ils ne sont pas là pour vrai. Je veux qu'elle sache qu'elle n'est pas ma bouée de sauvetage. Elle se trompe si elle pense que je vais m'accrocher à elle. Je ne suis pas désespérée. Ohh, tiens, je saisis tout à coup. Kathy ne doit pas avoir d'amis, elle. J'ai pigé ! C'est probablement pour ça qu'elle veut tant devenir la mienne. Tant pis ! Je suis déjà prise.

Je marche en grognant. Je lui en veux terriblement, à Kathy. Alors que je commençais à aller mieux et que j'apprivoisais la mer et la plage, elle a gâché ma journée, pour la deuxième fois. Championne !

La tempête se lève encore une fois en moi. Malgré moi.

« Je veux débarquer de ce manège ! »

Évidemment, je n'ai pas marché tranquillement vers la maison, j'ai presque couru. Quand on est fâché, il n'y a pas que notre cœur qui bat plus vite, nos pas s'accélèrent et suivent le rythme.

Bon, je dois l'avouer aussi. Je me suis dépêchée par crainte que Kathy me suive. Elle m'énerve tellement. Je le sais, mais je le sens aussi. Mon cœur s'est remis à battre comme un fou, les yeux me démangent, de longs frissons parcourent ma colonne vertébrale, et tous mes muscles sont crispés. Mon corps en entier transpire son aversion pour Kathy. On est allergiques à elle. On ne l'aime pas. Je ne l'aimerai jamais.

J'ai encore envie de pleurer.

J'allais mieux tantôt. J'étais presque heureuse et légère et, là, me revoilà à la case départ de ce matin. Fâchée. Triste. Bousculée.

Sans grand espoir, j'essaie de texter Rosalie.

Je veux débarquer de ce manège !

J'espère qu'elle comprendra. Mon cœur est dans une sale position. Il est dans des montagnes russes infernales. Le petit wagonnet dans lequel il se trouve grimpe difficilement les montées. Celles-ci sont longues, laborieuses et lentes. Mais les descentes sont abruptes, ultra rapides et fulgurantes. Ce sont elles les plus éprouvantes. On en ressort tout étourdi et le souffle coupé. La prochaine montée nous amène vers une descente toujours inconnue. Rien n'est jamais pareil. Ce sera pire que la dernière ? On ne sait pas. L'angoisse monte aussi.

Mes montagnes russes internes sont complètement hyperactives. Leurs montées sont de plus en plus courtes et leurs descentes en flèche, de plus en plus intenses. Et le manège accélère sans jamais vouloir s'arrêter. Il y a une pause ? Un chauffeur ? Qui pèse sur le bouton « Arrêt » ? Au secours, je veux que ça s'arrête ! Je me visualise très bien à bord de ce manège hanté.

Ça me fait peur.

Très peur.

J'aimerais mille fois mieux me sentir dans un gentil et inoffensif petit carrousel qui tourne tranquillement. Jamais de haut. Jamais de bas. Toujours égal. Tout doucement. Sans vague. Sans surprise.

Une fois à la maison, je tourne en rond, ne sachant pas du tout comment apaiser la tempête en moi, ni comment débarquer des montagnes russes. J'essaie de penser à ce que feraient mes trois amies si elles étaient à ma place.

Et si je faisais du jogging comme Zoé ?

Non, aucune envie de sortir. Mon petit doigt me dit que je pourrais retomber nez à nez avec Kathy.

Et si je dessinais comme aime le faire Emma?

Bof, je n'en ai pas vraiment le goût.

Et si j'écoutais un film comme Rosalie, la cinéphile?

Ah, ça, ça me tente! Ouep! Une comédie. Quelque chose qui me fera rire et oublier mes petits drames personnels.

Là, maintenant, tout de suite, c'est ce qui me ferait du bien. C'est ça que je ferai.

Regarder un film toute seule, c'est vraiment moins plaisant. Bien sûr, j'ai ri. Mais j'aurais ri davantage si j'avais été avec mes amies. Ou collée contre Frédéric. Là, j'étais toute seule sur le divan inconfortable du salon, mon portable sur les genoux et mes écouteurs sur les oreilles. Ma mère travaillait à la table de la cuisine, alors je ne devais pas la déranger.

Avant de me coucher, je demande à ma mère si elle aimerait mieux avoir une vie en montagnes russes ou comme un carrousel.

— Une vie dans un carrousel ? Jamais ! J'aime mieux des montagnes russes, des hauts et des bas. Jamais pareil ! Un carrousel ? Non ! Tu t'imagines comme ce serait plate de tourner en rond, de vivre toujours la même chose, jour après jour après jour après jour…

— Ah, laisse faire !

Décidément, personne ne me comprend.

Moi, je veux un carrousel, bon.

Ce matin, ma mère devait aller faire des courses. J'en ai profité pour la suivre pour pouvoir écrire à mes amies et à Fred. Surprise ! J'avais deux messages : un de Rosalie et un de Zoé.

Je sais que j'aurais dû être contente, mais mon cœur en a décidé autrement. Bang ! Rien de Frédéric : mon manège est reparti. Vers une autre descente. Une plongée spectaculaire. J'étais déçue : il ne m'a pas écrit.

Et puis, les courriels des filles m'ont bousculée. À la fin, j'étais plus triste qu'avant de les lire. Étrange, non ? Chacune m'a fait un résumé de sa journée sans mentionner une seule fois – pas une ! – qu'elle s'ennuyait de moi. Mais elles ont dit plusieurs fois qu'elles m'enviaient d'être au bord de la mer et qu'elles auraient donc voulu être à ma place. Gnan gnan gnan ! Ça m'a vraiment fâchée. Personne ne me comprend. Pas même mes amies. Et mon chum qui ne m'écrit même pas.

Malgré le beau soleil, je suis restée toute la journée à la maison à traîner ma mauvaise humeur partout. Le retour du babounage en règle ! Pas la moindre envie de sortir. Les gens de bonne humeur m'énervent royalement. Moi, je veux bouder en paix. Je veux digérer ma peine toute seule. Assise sur le divan inconfortable – et pas rose, mais bien d'un beige sale un peu déprimant –, je regarde passer les vacanciers qui se dirigent vers la plage. Ils sont chargés comme des mulets, leurs chaises, leurs serviettes et des sacs plein les mains. Mais ils affichent un grand sourire. Ils ont l'air bien. Moi, j'ai une tonne de briques sur les épaules et n'ai aucunement le goût d'esquisser le plus petit début de sourire.

— Un moment donné, Fred, faudrait que tu arrêtes de nager à contre-courant... Laisse-toi aller ! Je suis certaine que tu aurais du plaisir si tu y mettais du tien, un brin...

Ma mère et ses grands discours ! Pour toute réponse, je grommelle un petit « ouin ouin » et je pars terminer mon souper dans ma chambre. Dans ma chambre laide.

Tout m'exaspère. En particulier ceux qui sont trop heureux, ceux qui m'oublient, ceux qui disent que je suis chanceuse, celle qui veut devenir mon amie et ce grand soleil qui n'arrête plus de rayonner dans le ciel. On dirait qu'il me nargue.

— Je sais que je devrais être contente, mais ça ne me tente pas. Bon ! que je lui dis, au soleil, en fermant les rideaux avant de m'étendre sur mon lit.

J'aimerais m'en débarrasser. Il est tellement plus facile de babouner quand il ne fait pas beau. Au moins, je suis au même diapason que les autres râleurs spécialisés en chialage concernant le temps qu'il fait.

Mon vœu a été exaucé. À mon réveil, il pleut. Les gouttes percutent les vitres de ma fenêtre et les font trembler. J'étire ma jambe et j'entrouvre le rideau avec le bout de mes orteils. Dehors, c'est gris. Intensément gris. Complètement gris.

Je souris.

C'est méchant, mais plus fort que moi. Au moins, je ne serai plus la seule à être de mauvais poil. Secrètement, je souhaite qu'il pleuve aussi chez nous. Que les plans joyeux de Rosalie, d'Emma, de Zoé et de Fred tombent – justement ! – à l'eau. Qu'ils soient obligés de penser un peu plus à moi. Je ne supporte pas l'idée que les autres s'amusent tandis que, moi, je vais si mal. Je tire les couvertures par-dessus ma tête et me rendors.

Quand je me lève enfin, il est près de 11 h. Les grosses émotions et les tours non désirés de manège, ça épuise, on dirait bien. Une pluie forte s'abat toujours. Hourra ! Je vais rester à la maison sans la moindre envie de mettre le bout du nez dehors. Je ne risque rien. Je n'aurai pas de contact avec Miss Parfaite et je ne pourrai pas prendre des nouvelles de mes amies ni de Fred.

Aujourd'hui, je m'occupe de moi. Là, tout de suite, maintenant, c'est un long bain moussant qui m'attire. Avec un livre. Et une collation déposée sur le rebord. La vie est presque belle!

Il a plu pendant quatre jours. Quatre jours! Une éternité! Et lorsqu'il pleut ici, il y a aussi une espèce de brume d'humidité qui flotte dans l'air. Quand je regardais par la fenêtre, je ne voyais même plus les maisons de l'autre côté de la rue.

Je commençais à redouter mon incroyable capacité de jeter des sorts et d'exaucer des souhaits. Des dons de sorcière, moi? Voilà que ce que je demandais arrivait… On doit être prudent avec nos demandes, car des fois elles se réalisent et on ne sait plus quoi faire pour que tout redevienne comme avant. À la fin du troisième jour, j'ai commencé à dire tout haut que je voulais revoir le soleil. C'est clair, cette mauvaise blague de la météo, je ne la trouvais plus drôle du tout.

Mon moral était complètement à plat. Je ne savais plus comment passer le temps. Je me sentais prisonnière de la maison. Il ne me restait plus aucun livre à lire. Je ne supportais plus d'être vingt-quatre heures sur vingt-quatre avec ma mère qui devait terminer les costumes de la pièce. J'avais envie de voir la plage, et même la perspective de croiser Kathy ne me dérangeait pas. J'avais terriblement besoin d'air.

Durant le troisième après-midi de flotte, je me suis risquée à une promenade pendant une faible éclaircie… qui n'a pas duré ! Je suis revenue à la maison trempée comme une lavette et frigorifiée. Tout en prenant mon bain – ultra chaud –, j'ai concentré toutes mes pensées sur une seule demande, presque une prière :

« Soleil, reviens ! Promis, je vais arrêter de chialer. Je vais faire des efforts. Je ne souhaiterai plus de malheurs aux autres non plus. »

Vraiment, je l'ai dit en suppliant le ciel d'arrêter cette pluie déprimante. Même si mon moral n'était pas pétillant – je n'ai eu aucun accès à Internet –, je n'étais pas obligée d'entraîner tout le monde avec moi.

Finalement, deux jours plus tard, au petit matin, je me suis réveillée non pas au son de la pluie, mais à la lumière d'un rayon de soleil qui s'infiltrait jusque sur le bout de mon nez. En moi, j'ai senti la bonne humeur tenter de percer la carapace dure qui enveloppait mon cœur depuis mon arrivée ici.

Enfin…

«C'est peut-être pas
si pire que ça!»

Ouf! Sortir m'a fait du bien. J'avais l'impression de prendre ma première bouffée d'air frais depuis des lunes. Enfin, le soleil! Et le retour des gens de bonne humeur. Promis, je ne chialerai plus contre eux. Tant mieux s'ils sont heureux. C'est à moi de travailler… sur moi.

Il est à peine 7 h et je pars pour la plage. Pas question de perdre une seule minute de soleil.

Mis à part quelques joggeurs matinaux, je suis seule. Quel bonheur de respirer cet air après des jours à l'intérieur et de sentir les rayons du soleil caresser ma peau! Je grimpe sur les rochers, à l'endroit même où j'ai vu Kathy pour la première fois. De ce promontoire, on voit l'horizon plus loin encore… si c'est possible. Précautionneusement, j'avance en posant le pied sur les pierres devant moi. Au bout complètement, sur un énorme rocher qui baigne à moitié dans l'eau, je m'assois. On dirait que je suis sur une île. Devant moi, l'eau à perte de vue. Les vagues viennent se briser en bas du rocher en éclaboussant mes jambes et mes pieds… nus! Ainsi installée, je m'efforce de respirer plus calmement. Je lève les yeux vers le soleil qui amorce sa montée dans le firmament d'un bleu éclatant, dénué de tout nuage. Je ferme les paupières, je déroule le dos et le cou, je m'étire comme si ma tête voulait toucher le ciel. Mon menton pointe de plus en plus haut vers ce dernier. Ainsi, je sens tous mes muscles se délier. Ça me fait un bien fou.

Pour la première fois depuis quelques jours, je pense à Emma, à Rosalie, à Zoé et à Fred sans avoir un trop gros pincement au cœur. J'essaie d'imaginer ce qu'ils font ce matin, s'ils sont heureux de voir le soleil aussi (quoique la grisaille n'a peut-être pas duré chez eux !), ce qu'ils prévoient faire de leur journée, etc. Même s'il y a un trou si grand dans mon cœur que tout le sable du monde ne pourrait le remplir, je suis capable de contrôler mes larmes et ma mauvaise humeur. Un peu du moins ! Ici, sur mon rocher-île, j'y arrive. Je lance un bout d'algue qui flotte à côté de moi sur l'eau. Il revient vers moi et se fait ballotter par les vagues. Un va-et-vient qui ressemble à mes émotions. Je les repousse, mais elles reviennent. Je ne les veux plus, mais le courant est plus fort que mes souhaits et me les ramène. Comme me l'a dit Frédéric, je vais me donner un peu de temps. Je finirai bien par dompter la tempête…

Le nez au soleil, je songe qu'aujourd'hui, c'est une journée spéciale. On emménage dans notre vraie *beach house*, comme on dit ici. J'ai hâte de voir l'intérieur de l'immense maison que ma mère m'a montrée il y a quelques jours. Et s'il y avait un divan rose ? Je pousse ma chance un peu trop loin et ça me fait sourire. Mais je serais heureuse s'il y avait simplement un divan confortable dont les ressorts ne me pincent pas les fesses et ne me rentrent pas sous les omoplates comme celui sur lequel j'ai passé bien des heures ces derniers jours. Je l'ai officiellement nommé le pire divan de tous les temps !

En faisant attention de ne pas glisser, je descends des rochers. La marée monte et si je ne pars pas, je serai prisonnière de mon île ou complètement trempée en revenant au bord. Un petit déménagement est nécessaire. Je ne veux pas quitter la plage, alors je m'installe sur le sable et saisis un bout de branche morte qui traîne devant moi. Là, maintenant, tout de suite, j'ai le goût de dessiner. De laisser ma main choisir ce qu'elle veut gribouiller devant moi. J'ai appris dernièrement[2] que dessiner peut nous faire du bien. Sans réfléchir, je laisse ma main faire à sa guise. Elle sait ce que mon cœur veut dire.

Je trace un cœur, puis un autre, puis un autre, et un autre encore. Je me contorsionne pour en dessiner même derrière moi. Rapidement, il y en a plein tout autour de moi. Je suis entourée d'amour. Un pour Rosalie, un pour Emma, un pour Zoé, dix pour Fred et vingt pour moi. Des dizaines de cœurs de toutes les grosseurs envahissent le sable et m'encerclent. Plus je dessine, plus je souris. Mon propre cœur aspire cet amour dessiné et gonfle, gonfle, gonfle, encore et encore.

— *Hello ! What do you do ?*

---

[2] Voir le 9e tome de la série : *Graffiti... d'amour !*

— Je dessine des cœurs, plein de cœurs !

— *Wow ! You're right. There's a lot of hearts here ! A lot of love too ?*

— Tellement !

C'est la première fois que l'arrivée de Kathy ne me dérange pas. Je ne suis pas prête à devenir son amie, mais sa présence ne m'importune pas trop ce matin. Je suis ailleurs. Loin d'ici. J'ai quitté la plage. Je suis presque hypnotisée par le mouvement répétitif que fait ma main pour dessiner tous ces cœurs semblables. En fait, je suis tellement concentrée que j'ai perdu le fil de la réalité. En regardant et en formant mes cœurs, je suis de retour chez nous. Avec mes amies. Avec mon amoureux. Je danse avec Emma en plein milieu de la cuisine sans même avoir fermé les rideaux. Je rigole avec Rosalie en écoutant la télévision pendant qu'elle essaie de me coiffer comme un mannequin de magazine. J'écoute Zoé me raconter comment elle a rencontré un gars super gentil à sa dernière compétition de basketball. Je marche main dans la main avec Fred au parc et il me fredonne les paroles d'une chanson qu'il est en train de composer.

Je ne prête plus attention à ce qui se passe autour. Là, ici, sur la plage. Je voyage dans ma tête. Dans mes souvenirs. Dans mes moments « oumpf »[3], je ne vois rien d'autre que mes cœurs. Je ne remarque même pas les vagues qui montent et rejoignent mes dessins, les effaçant graduellement au passage, juste là derrière moi.

— *Be careful... the water is coming fast.*

Oh ! Retour à la réalité. Je quitte mes rêvasseries et m'aperçois que je me suis installée trop près de la mer. Tranquillement, ses vagues remplissent les sillons que j'ai tracés. En faisant une

---

[3] Voir le 5e tome de la série : *8 histoires d'amour plus tard.*

grande enjambée, je saute par-dessus les cœurs et rejoins Kathy un peu plus haut sur le rivage. Sans rien dire, assises côte à côte, on regarde la mer travailler pour effacer tous mes cœurs. Elle les avale doucement, à un rythme régulier. Trop vite quand même, elle termine son boulot. Ma fresque de cœurs a complètement disparu. Je hausse les épaules en inspirant longuement et, en expirant, je lance :

— *Well !* C'est fini ! Ils ont tous disparu…

Il n'y a pas de tristesse dans ma voix. Je constate tout simplement. Puis Kathy intervient :

— *Oh, no ! There's still one.*

— Quoi ?

Mais qu'est-ce qu'elle dit ? Elle est aveugle ou quoi ? L'eau a recouvert entièrement mon dessin. Il ne reste plus rien. Vraiment, elle est trop étrange, cette Kathy…

— *Really… There's one. Look carefully.*

— Je ne comprends pas.

— Il y a un cœur sur la plage. *Yours.*

Enfin, je comprends : le mien. Ohhh ! Mes yeux s'écarquillent, ma bouche s'ouvre toute grande sans qu'un mot en sorte. Je rougis un peu en lui disant :

— Tu as raison !

— *I know.* Il ne peut pas *disappear, this one. It's true.*

Elle dit vrai. Malgré les tempêtes, la mer, les vagues, le vent et tout le reste, mon cœur reste là. Solide, fier, loyal et immense : il est là. Pour toujours. Malgré tout. Tout. Tout.

Cette pensée me fait du bien. D'un coup, Kathy m'est devenue plus sympathique. Juste un peu. Pas trop. Aujourd'hui, je n'ai pas envie d'être désagréable avec qui que ce soit. Je réussis à lui sourire en me levant. J'époussette le sable sur mes jambes en prenant tout mon temps. Je n'ai pas le goût de partir.

La plage m'a aidée. La mer aussi. Même Kathy. Mais je regarde l'heure en faisant une grimace.

— Je dois partir. Je déménage dans une nouvelle maison près de la plage. Je suis même en retard, dis-je.

— *I know.*

Difficile de marcher vite sur le sable ! Nos pieds s'enfoncent à chaque pas. Courir devient une mission impossible. J'en perds l'équilibre. Une pensée traverse mon esprit comme une étoile filante : Zoé ne doit certainement pas faire son jogging dans le sable. Ou seulement là où il est mouillé et donc plus ferme. J'ai chaud. Je transpire, mais je me dépêche quand même. J'ai tellement hâte de quitter ma future-ex-maison. Je déclare qu'aujourd'hui, c'est une « double bonne journée ». Yé ! Tout est parfait sauf un petit truc qui me chicote. Les derniers mots de Kathy me reviennent en tête. Elle a dit : « *I know.* » Elle sait que je déménage ? Je le lui ai dit et je ne m'en souviens même plus ? Est-ce que je perds la mémoire ? Ou elle a dit ça comme ça sans que ce soit vraiment lié à moi ? Peut-être qu'elle est le genre de fille à dire : « *I know* » pour tout et surtout pour rien ? *I know* par-ci. *I know* par-là. Toutefois, je reste avec une drôle d'impression. Un feeling étrange qu'il y a quelque chose derrière son « *I know* ». Si Rosalie était là, elle dirait que j'exagère. Mais moi, les intuitions, je les reconnais. Je suis bonne là-dedans, experte même[4]! On pourrait même dire que j'ai en moi un détecteur d'intuitions doublé d'un décodeur qui analyse tout. Je cherche à scruter tout ce qu'on me dit… Je secoue la tête comme si ça pouvait m'aider à laisser s'échapper des idées ou le surplus de trucs que j'y emmagasine. Quelqu'un sait où est le bouton « Effacer » pour les éliminer ? Des fois, ce serait tellement pratique. Je ne veux pas gâcher ma

---

[4] Voir le 9e tome de la série : *Graffiti… d'amour !*

journée, mais ce « *I know* » reste collé là dans ma tête. Grrr! Je crie : « Arrête! » sans me soucier de ce que les autres passants pensent de moi. Et c'est à moi que ça s'adressait. Je veux juste arrêter d'y penser deux ou trois secondes.

J'entre finalement dans ma presque-ex-maison et j'aide ma mère à tout rapatrier près de la porte. Ramasser notre butin ne prend pas plus de vingt minutes. On a pratiquement rien et on a passé bien des jours de pluie enfermées ici à tout ranger. Un dernier coup de balai, quelques coups de lingette humide, et c'est terminé!

On entasse nos bagages dans la voiture. C'est un peu déprimant de songer que je trimballe l'essentiel de ma vie dans une si petite valise et deux sacs. Ma vie ne tient qu'à ça? J'ai un petit frisson.

Ciao, maison déprimante! Je te quitte! Aujourd'hui, c'est tellement un jour nouveau.

« Tu ne devineras jamais quoi : on a déménagé... pour pire ! »

Je capote !

Je capote !

Je capote !

Je capote !

Je pourrais le dire dix mille fois, tellement je capote.

Je rage aussi. Tellement !

Elle savait ! Elle savait pour vrai ! Ça m'énerve ! Son « *I know* » n'était pas anodin, elle savait que j'allais déménager et je ne le lui avais pas dit. J'aurais dû me fier à mon intuition. C'est une sonnette d'alarme ou un drapeau rouge qui annonce un danger. Vraiment, il ne faut plus que je les chasse de mon esprit. Je dois tellement m'écouter !

Encore pire ?

Ma mère le savait aussi. Et ça m'énerve deux fois plus. Elle ne m'a rien dit. Quoi ? Elle croyait que sa « surprise » me ferait plaisir ? Que j'exploserais de joie ? Que je lui sauterais au cou pour la remercier ? Elle savait et n'a pas osé m'en parler.

Non, je suis fâchée ! Extrêmement fâchée, plutôt ! Je sens que tout le monde le savait, sauf moi. Je me sens exclue et en même temps triste/en colère/découragée/triste de la situation. Mais le pire, c'est cette fausse surprise qu'on m'a faite et qui ne me plaît pas du tout. Pas du tout. Pas une seule miette.

J'y pense. Qui d'autre le savait ? Rosalie ? Zoé ? Emma ? Fred ? L'univers tout entier ? Au point où j'en suis, ça ne me surprendrait même pas ! Je pianote furieusement sur mon iPod en me dirigeant vers ma nouvelle chambre. Selon moi, c'est un excellent lieu pour bouder. Ma mère veut me rattraper, je ne me retourne même pas, mais je l'entends me dire :

— C'est quoi, Frédou? Là, tout de suite, tu as besoin de babouner un peu? Vas-y, tu vas surtout t'apercevoir que ce n'est pas la fin du monde. Faudrait pas que tu réalises deux jours avant notre départ, en août, que tu aurais pu passer un super été et que tu t'es entêtée à l'éviter…

Je ne l'écoute plus. Ça m'énerve.

Même si je sais que ça n'a aucun sens, j'écris:

> Tu savais, toi aussi? *I know*, je suppose?

à Rosalie et à Fred. Je tape du pied en attendant leur réponse. S'ils disent «oui», je vire complètement folle. C'est clair!

Fred a juste écrit:

> ??? Écris-moi ce soir, je suis au camp sur l'heure du dîner.

Rosalie a répondu:

> Raconte-moi, je veux tout savoir, mais je ne sais rien… looolll!

Fiou! Un immense fiou.

Rosalie continue la conversation. Super! J'ai tellement envie de me vider le cœur.

> Tu ne devineras jamais quoi : on a déménagé… pour pire !

> ??? Tu n'es toujours bien pas dans une cabane au fond d'un bois comme dans le film d'horreur qu'on a vu l'autre fois…

> Ben non ! Mais on est 8 !!! Et il manque encore 3 personnes. T'imagines !! Je vais devoir vivre avec 10 autres personnes.

> Dans une petite maison ?

> Non, elle est immense. Mais quand même 11 personnes ensemble !

> Ouin…

Et ma mère ne m'avait rien dit!
Elle voulait me faire une surprise.
Elle pensait que j'allais être contente…

Tu ne l'es pas, hein?

PAS DU TOUT!

Ouin…

En plus du plus du plus, Kathy,
la fille parfaite que j'ai rencontrée
à la plage, habite ici…

??

Son père travaille avec
ma mère au théâtre.

Ouin…

Pourquoi tu dis juste des «ouin»?
C'est QUOI?? Tu ne vas pas me dire
que c'est l'fun comme ma mère???

Beennnn…

QUOI?

Tu sais, non, c'est peut-être pas l'fun, mais c'est pas l'enfer non plus?

Pas loin…

Non, c'est ici l'enfer plus plus plus! Avec les enfants que je garde pour l'été! Je te jure que c'est pire que toi.

Pas sûre.

Bon, je dis ça, mais je sais bien en mon for intérieur que ma situation n'est pas si pire. J'ai juste besoin que quelqu'un me rassure un peu. J'ai besoin de me plaindre…

On essaie?

Ok.

Vois-tu la mer ?

Oui.

De ta chambre, même ?

Oui.

(Déjà là, je suis ultra méga jalouse !)
As-tu Internet au moins ?

Oui.

Y a-t-il 3 enfants qui chialent, hurlent,
se chicanent, se font mal, lancent leur
bouffe, courent partout et refusent de
t'écouter autour de toi ?

Non.

Dois-tu passer tes journées à faire les 4 volontés de 3 pestes?

Non.

Dois-tu faire le dîner pour des gens qui disent ensuite juste des «beuuuuurk» ou des «c'est déguuuuuueeuuuu!»?

Non.

Dois-tu changer au moins 5 fois une couche remplie de tu-sais-quoi?

Noooooooon!

Là, j'avoue: je commence à sourire. Parce que je sais très bien que Rosalie doit capoter tellement plus que moi. Garder des enfants, c'est plaisant et payant, mais aucunement reposant. Au secours! Je frémis à la simple idée de devoir m'occuper de trois enfants qui ne sont jamais contents. Et changer des couches, en plus! Oh *boy*! Et j'imagine très mal Rosalie dans ce rôle de la parfaite gardienne.

As-tu croisé le plus beau gars du monde un après-midi à la piscine alors que…

1) le petit dernier venait juste de vomir son sandwich au poulet à côté de toi?

2) tu avais ton vieux maillot bleu turquoise, car tu avais déjà abîmé tous tes autres (même celui aux motifs de léopard!)?

3) tu portais le vieux t-shirt de ta mère, car les tiens, tu n'oses pas les mettre avec les p'tites bêtes qui risquent de te les déchiqueter?

4) tu avais du vomi (!!!!) sur les cheveux… (Ça, je m'en suis rendu compte le soir quand j'ai vu une petite croûte dans mes cheveux!) Déguuueuuu!!

Non. Lol!

Je ris maintenant comme une folle en me tenant les côtes. Je vois très bien la scène dans ma tête. Rosalie doit vraiment vraiment vraiment capoter. C'est peut-être une comédie quand elle le raconte, mais je sais que, pour elle, ça doit être un drame-réalité au quotidien!

Te lèves-tu à 6 h, 6 jours par semaine, pour aller rejoindre 3 monstres qui sont déjà en train de pleurnicher sur tout et surtout sur rien à 6 h 30 le matin?

Non.

Comptes-tu les secondes avant la fin du mois de juillet pour avoir enfin la paix et être débarrassée de ces horribles créatures hurlantes ?

Je compte les jours avant mon retour, ça compte !

Non, pas vraiment ! Tant que tu n'as pas commencé à compter en secondes, ça ne compte pas. Je fais plus pitié. Dernière question de ce sondage ultra scientifique : as-tu du temps pour faire ce que tu veux ?

Oui.

Alors, selon mon analyse poussée et mon œil d'experte, je déclare que tu n'es absolument pas en enfer ! C'est moi qui ai la place en enfer. Toi, t'es même pas proche !

:-) Ok, tu as gagné. T'es pire...
Et je chialais un peu pour
me faire plaindre.

Je sais... Ça ne te tentait tellement pas,
ce voyage, cet été.

On dirait que tout le monde organise
mon été sans me consulter et que, moi,
je ne décide rien. Je ne sais rien. Je ne
suis au courant de rien. Comme là...

Oh non, t'as décidé...

Quoi?

Si je te le dis, tu vas être fâchée
contre moi... Je ne dis rien! Zip!

Non, dis-le! Promis, promis! Je ne t'en
voudrai pas. Je m'ennuie trop de toi
pour t'en vouloir...

T'as décidé de chialer… sur tout! Et de te proclamer la fille la plus malheureuse et la plus malchanceuse de la terre entière! C'est sûr que tu vas le rester si tu continues comme ça…

Je ne sais pas trop quoi dire…

T'es fâchée, hein?:-(

Non, je pense que tu as PEUT-ÊTRE raison. Un peu.

T'as pas aimé que ta mère t'annonce que tu partes. Ok. Tu as babouné en masse. Je pense qu'elle a compris le message. Mais là, même si tu continues à te plaindre, ça ne changera plus rien. T'as le droit de changer d'idée et d'aimer ça. On dirait que tu t'empêches… Que tu freines pour ne pas trop aimer ta vie…

Ouin…

Tu gaspilles tes vacances. Crois-moi, je pourrais écrire une liste interminable de trucs que je ferais si j'étais à la plage à ta place au lieu de garder des enfants… Tu dois enlever ton pied de la pédale de frein, celle qui est dans ta tête, et, là, tu vas vouloir profiter de ton été…

T'as sûrement raison, mais Miss Parfaite, tu crois que…

Je crois que tu pourrais l'aimer et avoir du fun avec elle si tu te forçais. L'autre fois, elle t'a peut-être dit ça parce qu'elle ne savait juste pas quoi te dire… Faut que je te laisse, les pestes ont terminé d'écouter leur film plate !

Merci, Rosie… T'es la meilleure !

Étendue sur mon lit, mon iPod posé sur mon cœur, je pense. Les mots de Rosalie ont réussi à calmer le début de tempête qui montait en moi tantôt. Je ne suis pas totalement zen, mais je ne me sens plus sur le point d'exploser de colère.

Je me demande si Rosalie dit vrai. C'est une fausse colère que je m'invente ? Non, ça ne se peut pas. Je ne suis vraiment pas contente. Je suis déçue que ma mère m'ait caché ce bout-là. Je suis jalouse : Kathy savait (et était heureuse !) et pas moi.

Mais l'avoir su plus tôt n'aurait rien changé. J'habiterais dans cette maison-là quand même. Pour le reste de l'été. Avec dix autres personnes. J'aurais peut-être pu me faire à l'idée, un peu. Me préparer psychologiquement…

Non ! Je dois l'avouer. Je n'aurais pas pris ce temps pour apprivoiser le changement. J'aurais chialé, critiqué, babouné. C'est un peu honteux à avouer, mais c'est la vérité. Cependant, au moins je l'aurais su aussi. Là, je ne suis pas dans le coup. Comme un affrontement où il y a les autres d'un bord, et moi, toute seule, de l'autre. J'aurais aimé le savoir. Peut-être qu'on ne me dit rien parce que je suis trop insupportable ? Euh… je ne veux pas être l'exclue parce que je suis étiquetée « celle qui chiale toujours ».

Non… non… non… zzz… zzz… zzz…

Trop d'émotions, ça fatigue. J'ai dormi presque deux heures. C'est le bruit de pas dans le couloir qui m'a réveillée… Ma nouvelle vie avec sept colocataires est commencée !

Je me lève d'un bond, j'attrape mon sac et je sors un cahier et un crayon. Avant de partir, je m'étais dit que ce serait mon journal intime de ce terrible été. Je l'avais même écrit en gros sur la première page. Tout gribouillé en noir, en gris et en rouge. Les couleurs en disaient long sur mes émotions, je crois. D'un coup sec, j'arrache la feuille. Ça suffit d'alimenter mes idées noires.

Je trace une ligne en plein milieu de la page suivante. D'un côté, je mets un gros + et de l'autre un immense -. Je vais faire le bilan des pour et des contre de ce nouveau déménagement.

Les –

- Je demeure avec sept autres personnes (bientôt dix !)

- Kathy est là.

- Je ne connais personne.

- Beaucoup parlent anglais. Moi, pas beaucoup.

- Je vais attendre pour aller à la salle de bain.

- Je n'aurai pas d'intimité.

- Ma chambre est bleu pâle, décorée avec des coquillages et un bateau miniature.

Hum ! Ça va vite, écrire les « moins ». Il y en a tellement que ça vient tout seul.

Les « plus », maintenant.

Les +

+ *La maison est grande.*

+ *J'ai une chambre juste à moi.*

+ *La plage est… dans ma cour.*

+ *Je vois la mer de ma chambre.*

+ *J'ai Internet.*

+ *Dans ma chambre,*
j'ai même une télé.

+ *Et un fauteuil.*

Ça m'a pris un peu plus de temps à écrire les « moins » que les « plus ». Je me demande si c'est parce que c'est beaucoup plus facile de chialer que de relever le positif de la vie.

La réponse me fait peur. Je crois que c'est oui. On dirait que je sais tout ce qui est *hot* dans la nouvelle maison, mais que je prends tout mon temps pour l'écrire. C'est plus facile de dire que ça va mal…

Bon. Sept trucs de chaque côté. Je ne suis pas vraiment avancée. Si je continue à voir les choses avec mon regard sombre, je dois dire que c'est égal, mais je sais que c'est faux.

Ma main me démange. Je sais qu'il y a autre chose à ajouter. Je pars faire le tour de la maison avec mon cahier à la main. Je note :

+ *Elle est tellement plus belle que*
l'autre maison.

+ *Il y a un gros lave-vaisselle.*

+ *La télé dans le salon en bas est*
G.É.A.N.T.E.

+ *Il y a un meuble rempli de DVD.*

Je ne peux pas mettre dans les « moins » que les DVD sont seulement en anglais, car j'ai vérifié et la plupart – sauf deux ou trois que je n'aime même pas – comprennent la version en français.

+ *Il y a trois salles de bain.*

Ok, je comprends que la colonne des « plus » a gagné. Pas de doute. J'aurais pu aussi écrire qu'il y a des chaises Adirondack et des coussins ultra moelleux pour lire durant des heures dehors près des touffes d'hydrangées bleues. C'est vraiment magnifique.

Je referme mon cahier. Mon exercice est terminé. L'enfer, ce n'est pas ici ! Je devrais même être contente. Vraiment contente.

Ce n'est pas aussi facile à dire qu'à faire, mais j'ai la preuve sur papier que je dois focaliser sur les « plus » et m'obliger à les voir. Mon cahier sera mon rappel.

Alors que je m'apprête à remonter dans ma chambre, ma mère me lance :

— Tu as l'air plus... plus... mais enfin... moins... euh...

— Moins fâchée ?

— Ouin, c'est ça ! Tant mieux parce que ce n'est pas agréable de vivre avec une Frédou qui rouspète tout le temps et qui n'est jamais contente. Tu sais, on pourrait passer un bel été si tu arrêtais de babouner pour un oui ou un non...

— *I know...*

Vivre à plusieurs est un tourbillon. Je le redoute encore. Quoi ? J'ai toujours été habituée à ne partager ma maison qu'avec ma mère. Seules, mais ensemble, juste nous deux. Pas sûre que ça va me plaire. Mais bon… pas le choix. Je repense à Rosalie et à ses trois pestes ainsi qu'à Fred et à son groupe de huit enfants. Et ça m'empêche de recommencer à me plaindre.

Le reste de l'après-midi, je ne le vois pas passer. Ma mère et moi partons faire des courses. C'est ce que notre « équipe famille » a pigé comme tâche. Ici, dans la *beach house*, nous sommes les petites nouvelles. Les six autres personnes – Kathy, son père et deux couples – nous ont expliqué leur façon de fonctionner pour éviter les chicanes et les discussions qui n'en finissent plus. Pour chaque repas en groupe – seulement le soir –, il y a une méthode à suivre. Les tâches à faire comme les courses, la préparation, la vaisselle et le ménage sont écrites sur des bouts de papier. Chaque équipe en pige un pour connaître sa tâche du jour. Parfois, quand il manque une tâche, on ajoute une bandelette « congé ». Ça évite, paraît-il, qu'on fasse toujours la même chose !

C'est une idée pas bête du tout ! Le hasard décide à notre place. Hop ! Pas le choix ! Pas de raison de rouspéter trop longtemps. Promis, je garde l'idée pour m'aider quand je ferai mes devoirs. Il y en a toujours un (ou deux, ou trois !) qui me tente moins. Je n'aurai qu'à les écrire sur des bouts de papier et piger au hasard l'ordre dans lequel je les fais. Peut-être même quand je fais le ménage de ma chambre aussi. Piger l'ordre de mes tâches…

Bref, ma mère et moi revenons avec un lot impressionnant de provisions. Ce soir, on soupe tous ensemble et, ensuite, on se rassemble autour d'un feu, dehors sur la plage. L'idée me semble bonne.

Je vais devoir parler à Kathy. Non, ce n'est pas ça! J'ai décidé de repartir à zéro avec Kathy. C'est différent. Je veux effacer ce qui s'est passé – notre mauvaise rencontre – et lui donner une autre chance. Je pense que je vais être capable de passer à autre chose… et peut-être devenir son amie. Un peu. Juste un peu.

«Feu, feu, joli feu!»

Hummm… J'ai le ventre archi plein. Il me fait même un peu mal. J'ai trop mangé et… j'ai trop ri! Une table de huit, c'est beaucoup de discussions, des dizaines et des dizaines d'anecdotes, des blagues et même quelques petits secrets. J'ai beaucoup aimé mon expérience. Pour moi, les occasions de faire partie d'une grande tablée sont plutôt rares dans ma vie. Parfois, on soupe ensemble, mes trois amies, ma mère et moi. Mais ce n'est pas la même chose que ce soir. Là, je me suis sentie grande à jaser parmi les adultes sans qu'on me traite comme une «petite». J'appartenais à leur clan… à mon nouveau clan. Dans ma tête, j'ai arrêté de peser sur ma pédale de frein, comme l'a dit Rosalie, et j'ai essayé de me laisser glisser dans la bonne humeur qui régnait… et ça a marché ! Wow ! Trop génial !

Vive les piges pour les tâches ! Pas de vaisselle à faire ! C'est assez cool ! C'est Kathy et son père qui sont de corvée. J'en profite pour aller marcher. Dans le ciel, les étoiles se réveillent. Ici, on en voit plus que chez moi, même tôt dans la soirée. Le spectacle m'émeut. Trop. C'est fou comme de simples étoiles me donnent envie de pleurer. Pourtant, il n'y a même pas vingt minutes, tout allait bien. Puis, bang, là, sous les étoiles, face à la mer, mon cœur tangue et bascule du côté de la peine. Je sens la contraction. À l'intérieur de moi, tout se resserre. Comme si une immense doudou l'enroulait, l'enroulait, l'enroulait et finissait par l'étouffer. D'un coup, mes yeux s'embuent. Un voile de larmes se lève. Nooon ! Ça y est, des larmes coulent.

Je ne voulais pas pleurer. Pas ce soir. Pas là. Je voulais essayer de bien aller. Je le voulais vraiment. Toutefois, on dirait que j'ai beau repousser ma peine, de toutes mes forces, elle revient toujours. Toujours. Toujours. Comme une vague. Toujours. Vraiment, ce soir, je pensais que j'étais un peu guérie. Que j'avais réussi à dompter mon cœur. Mais, là, j'ai la preuve par mille que non. Je ne suis pas guérie. Je ne vais pas super bien. Et je me force vraiment pour que la colère ne reprenne pas sa place en moi.

Je m'assois sur un rocher près de l'eau, le temps que mes larmes arrêtent de tomber. Le temps de retrouver la Frédérique que j'étais tout à l'heure durant le souper. Le temps de donner de l'espace à mon cœur. Le temps qu'il batte plus lentement. Le temps de...

— *I was looking for you.* Qu'est-ce que tu fais ?

— Rien. *Nothing.*

Et voilà que je m'autotraduis ! Mais Kathy n'est pas bête, elle comprend que je cache quelque chose. Je me sens obligée de préciser.

— Je… *I*… Bof, je ne sais plus trop. Je m'ennuie, je pense.

— *Come on.* Ils préparent le feu. *You don't want to miss this, I'm sure.* Tu viens ?

— Bien sûr… bien sûr.

On ne pourrait pas dire que je suis convaincante, mais au moins je fais des efforts. Mes montagnes russes intérieures veulent m'entraîner vers le bas, mais je lutte.

En me levant, j'entends la sonnerie m'avertissant qu'un texto vient d'entrer dans mon iPod. Hourra ! J'avais oublié que le réseau s'étendait jusque sur la plage. Même si mes doigts brûlent de peser sur mon écran pour découvrir le message, j'arrête de respirer une seconde. Et si c'était une mauvaise nouvelle ? Et si elle faisait repartir mes montagnes russes vers les abîmes ? Je prends une grande inspiration en soulevant exagérément mes épaules, puis je regarde.

> Bonne soirée, petite étoile de mon cœur. Amuse-toi sur le sable…
> Fred.

Mon gentil Fred.

Il faudra que je lui raconte mon étrange journée et ma conversation avec Rosalie. Il va sûrement être d'accord avec elle. C'est fou comme ils m'aident, tous les deux, et souvent de la même manière sans qu'ils se consultent. Ça doit être pour ça que je les aime tant.

Je lui réponds en vitesse en suivant Kathy qui ne semble pas vouloir ralentir le pas.

> Merci ! Je pense que je vais être capable de passer une belle soirée. Tu sais ce qu'on fait ? Un indice :
> « Feu, feu, joli feu ! » xxxxxxx

Yé! Amuse-toi. Beaucoup.

J'ai eu tort de m'inquiéter. Ce texto n'est pas venu embrouiller ma vie et n'a pas fait chavirer mon moral. J'ai eu peur pour rien. J'ai pesé sur le frein pour rien... encore une fois!

— Vite!! *We will not be able to choose the better places.*

— J'arrive! J'arrive!

Je presse le pas en glissant mon iPod dans la poche arrière de mes jeans. On arrive près du feu qui commence à crépiter et on s'installe sur deux chaises côte à côte qui font face à la fois au feu et à la mer, au loin. Les meilleures places! La soirée devrait être belle. Ma mère nous apporte deux doudous. On sera tellement bien.

Je ressors mon iPod de sa cachette. J'écris un mot à Rosalie. J'ai tellement envie de lui dire que je vais mieux. Et je veux savoir ce qu'elle fait de sa soirée.

Peut-être verra-t-elle Emma et Zoé. Fred aussi, qui sait? Je me demande ce qu'elle fera.

> Salut Rosie. On se prépare une soirée autour du feu. Et toi, que fais-tu? Raconte-moi! Vas-tu voir les filles? Je pense à toi. xxxx

Hop! En moins de deux secondes, mon message parcourt des centaines de kilomètres pour arriver jusqu'à Rosalie. J'ai hâte de lire sa réponse. Je pose mon iPod sur mon genou et je le surveille d'un œil. Je jase avec tout le monde, mais mon regard fuit et guette l'écran. N'en pouvant plus, je vérifie si le son est bien activé. J'ajoute le mode «vibration» pour être certaine de ne pas manquer la réponse de Rosalie... qui ne vient pas. La nervosité me gagne. Doublée d'une certaine inquiétude. Pourquoi ne me répond-elle pas? Quelque chose de grave est-il arrivé ? J'ai écrit un truc qui ne lui a pas plu ? Je relis mon message. Tout est là pourtant. Pourquoi c'est le silence de son côté ? Je lui réécris.

T'as bien reçu mon texto ? Ça va ?

Ce que les autres racontent, je ne sais plus. Leurs conversations, je ne les écoute plus depuis un moment. Je suis ailleurs. Perdue entre ici et chez moi. Je me pose des questions. Je n'aime pas qu'on ne réponde pas à mes textos. Quand l'attente est trop longue, c'est plus fort que moi, je m'imagine plein de trucs. Peut-être que Rosalie passe la soirée avec les filles et ne pense pas à moi. Peut-être qu'elle a de nouvelles amies. Peut-être… Peut-être…

Sans que je m'en rende compte, mes mains sont devenues hyperactives. Elles jouent avec mon iPod, le faisant pivoter et tournoyer d'un bord et de l'autre sans jamais le déposer.

— Tu as toujours ton iPod avec toi ?

— Je parle avec mes amis. J'aime ça. T'en as pas un, toi ?

— Oui, mais je ne l'utilise pas beaucoup.

— Je m'ennuie beaucoup. Je me sens loin.

— Mais tu as l'air triste *each time you're texting… You know that* ?

— Oh… non… je ne pense pas.

— Tu veux un miroir pour voir ?

Euh… on se calme, Kathy-la-parfaite. Je n'ai pas l'air triste. Je texte mes amies et ça va trèèèèès bien. Juste pour voir, j'active la caméra de mon iPod en mode miroir et je me regarde.

Oh ! Bon, ce n'est pas une catastrophe, mais c'est vrai que je n'explose pas de bonheur. Mes yeux sont dénués d'étincelles. Ils sont plissés. Sombres. Préoccupés. Je ferme mon iPod et le dépose sur le bras de ma chaise. Loin de moi comme s'il était maléfique. Il est un miroir déformant. Et je ne veux pas voir ce reflet désagréable.

— J'attends la réponse de ma meilleure amie, Rosalie. C'est tout.

— Elle fait peut-être quelque chose sans iPod. *Like many people.*

— Ohhh nooooon! Impossible. Rosie emporte son iPod partout avec elle. Toujours. Comme un velcro. Tu ne la connais pas. Elle l'a toujours. Toujours.

— *But not now, I think.*

— Elle va me répondre, tu vas voir…

— *Maybe. I hope so.* En attendant, toi tu ne t'amuses pas du tout. Ni ici ni avec elle.

J'aurais aimé prétendre le contraire, mais malheureusement Kathy n'a pas tort. Elle n'a tellement pas tort qu'elle m'énerve puissance deux millions. Elle n'a pas le droit de me faire la morale. Elle n'a pas de leçon à me donner. Et elle n'a surtout pas à me dire quoi faire. Je fais ce que je veux. Ouais, c'est ça. Je fais ce que je veux!

Mais le problème, c'est que j'ai un peu menti. Un peu beaucoup, même. C'est ce qui m'empêche de répliquer à Kathy. J'ai interverti les rôles. En réalité, Rosie ne prend pas toujours son iPod. C'est plutôt moi qui suis incapable de m'en défaire. Et c'est Rosie qui décroche le plus et sans problème. On se comprend: elle adoooore être branchée, mais elle est capable de ne pas consulter son iPod pendant plus longtemps que moi. Beaucoup plus longtemps, même. Je le sais, nous avons déjà fait un test, un soir, alors qu'Emma, Zoé, Rosie et moi étions ensemble pour manger de la pizza et regarder deux films. Un fameux pizzadredi[5]. C'est Rosie qui avait lancé le défi: « Je sais, je sais! On essaie de voir qui est la plus accro à son iPod et à ses messages. On met nos appareils dans une boîte et la première qui y touche est proclamée la plus dépendante à la technologie et elle doit payer la crème

---

[5] Voir le 1er tome de la série: *Oui, non... peut-être ?*

glacée à notre prochaine virée à la crèmerie, en plus de faire la vaisselle toute seule ce soir ! » On s'est toutes exécutées et on a glissé la boîte sous mon divan rose pour limiter les tentations. Malgré tout, j'ai perdu après seulement vingt-six minutes. C'est horrible, je sais. Et c'est Rosie qui a tenu le plus longtemps. Quand elle est partie de chez moi, elle n'avait même pas encore regardé son iPod. Elle l'a glissé dans sa sacoche sans lui accorder la moindre importance. Pour joindre ses parents, elle a pris le bon vieux téléphone… Fou, non ?

Je secoue la tête pour chasser ces souvenirs. Je ne suis pas accro, mais avec mon iPod je réduis la distance : je me sens un peu plus près de mes amies et de Fred. Comme tantôt, le message de Fred m'a fait vraiment plaisir. J'étais heureuse. Je n'étais pas triste du tout. J'explique ça à Kathy, mais elle a encore (évidemment !) une explication.

— C'est lui qui t'a écrit. Ça change tout. Quand tu écris, faut pas espérer *so madly* une réponse. On est rarement de bonne humeur quand on attend. Tu n'as pas juste souhaité une bonne soirée à ton amie, n'est-ce pas? Tu lui as posé une question? Tu la surveilles *like a police.*

— *No, it's not that.*

Bon! Voilà. Je ne sais plus du tout. Je ne surveille pas mon amie. Je voulais juste savoir ce qu'elle faisait… pour… pour…?? Peut-être un peu pour comparer sa soirée à la mienne, je l'avoue.

Zut! Zut! Zut!

J'épie mon amie.

C'est foncer tout droit vers une déception. Et ce n'est franchement pas correct. On dirait que tout ça m'explose en plein visage. Attention! Attention! Une collision est à prévoir et c'est mon cœur qui va écoper. Encore une fois.

Puis les mots qu'a prononcés Rosalie le soir de notre test me reviennent en mémoire. On dirait que je les entends… avec la voix de Kathy. Au secours ! Elles ne se connaissent même pas et elles sont complices.

« Tu ne pourras jamais aimer vraiment ce que tu fais si tu restes accrochée à ton iPod. Tu ne profites de rien quand tu vis deux trucs à la fois. »

C'est à peu près ce que Rosalie m'avait dit ce soir-là.

C'est à peu près ce que Kathy m'a dit ce soir.

— Garde ma place, je reviens.

Je saisis mon iPod et j'entre en coup de vent dans la maison. Je grimpe à l'étage et me dirige d'un pas plus que décidé vers ma chambre. J'ouvre la porte et, devant mon lit, je dis tout haut :

— C'est bon, Rosalie. Je t'ai entendue. De loin. Tu vas être fière de moi. Tiens !

Et je jette mon iPod sur mon lit. En refermant la porte, je lance :

— Bonne soirée, Rosie… peu importe ce que tu fais ! Moi, je retourne m'amuser.

Le message que j'ai dit à voix haute, je le sais bien qu'il ne se rendra pas aux oreilles de Rosalie, mais je l'ai surtout dit pour me convaincre moi-même. Et pour me libérer de mon envie d'être partout à la fois. Je veux profiter de ma soirée et je laisse mon amie profiter de la sienne sans hanter ses pensées. On se racontera ce qui s'est passé demain. Sans que ce soit un concours à qui a passé la meilleure soirée, juste comme deux amies qui se racontent des bouts de leur vie en étant heureuses l'une pour l'autre, tout simplement. Et si je veux avoir quelque chose à lui décrire en détail demain, je dois pouvoir vivre à fond ma soirée ici.

Je redescends immédiatement. J'ai déjà perdu assez de temps. Près du feu, je retrouve ma place et je montre mes mains vides à Kathy. Je lui fais voir que les poches de mes jeans sont vides aussi en me tapant sur les fesses. Mon geste nous fait rire toutes les deux.

C'est si bon de rigoler ainsi. Je suis un peu gênée. J'ai peut-être jugé un peu trop rapidement Kathy. Elle n'est pas une ennemie, je crois bien. Elle pourrait même être une amie. Une bonne amie. Je ne lui avais donné aucune micro-chance. Pourtant, elle ressemble tellement à Rosalie sur certains points. Je ne l'avais juste pas remarqué jusqu'ici.

Une chance que j'ai rangé ma vie d'avant pour apprécier ma soirée. Et ma vie d'été. Et ma peut-être nouvelle amie… Sinon, la suite, je ne l'aurais jamais vécue. Et j'aurais vraiment raté mon été.

8

« J'ai dansé sous les étoiles. »

Autour du feu, pendant que les chansons se multiplient, les étoiles garnissent le ciel. Doucement sans rien dire. Puis, sans faire de bruit non plus, mon cœur se départit de ses chaînes. Je sens un relâchement en moi. Subtil, mais bien là quand même. L'ambiance est relax, feutrée et propice aux rires. La lune est immense et orange. C'est une soirée douce et belle. Enfin, je suis vraiment là pour en profiter.

Alors que je suis sur le point de fermer les yeux, une tornade arrive. Pas une vraie, bien sûr. Celle-ci s'appelle Noalie et elle se jette dans les bras de Kathy. Bang! Si fort que la chaise de cette dernière se renverse. Elles restent prises comme des contorsionnistes maladroites à rire comme des folles pendant que les parents de Noalie font un tour d'embrassades parmi les autres adultes. Je demeure figée, ne sachant trop quoi faire ni quoi dire. Je les aide à se relever ou je les laisse rire encore comme ça? Finalement, elles roulent sur le côté et Kathy réussit à me présenter:

— Frédérique, voici Noalie… *Noalie, this is Fred…*

C'est tout ce qu'elle parvient à dire parce que la tornade est aussi un véritable moulin à paroles. La nouvelle venue me saute spontanément au cou. Une chance que je me suis levée, autrement ma chaise aurait chaviré aussi. Disons qu'elle est hyper énergique, Noalie!

— Je suis suuuuuuuuuper contente! Ma mère a appelé le père de Kathy pour en savoir plus sur ta mère et toi. Ensuite, comme ma mère n'est pas super gênée, comme moi finalement, eh bien, elle a appelé ta mère. Bon, subtilement, il paraît, elle a demandé plein d'infos sur toi. T'as le même âge que moi. Et Kathy, bien sûr ! Tu sais la meilleure ? On reste à quinze minutes de chez toi. Pas ici... au Québec, je veux dire. Et on ne s'est jamais vues. C'est fou ! Et là, on va cohabiter pendant tout l'été parce que nos parents font du théâtre ensemble. Je sais que ta mère s'occupe des costumes, mais c'est du théâtre pareil. Je capote quand j'y pense. On se rencontre à plus de huit cents kilomètres de nos vraies maisons alors que, dans notre vraie vie, c'est quoi, même pas vingt kilomètres ? C'est quoi, une minuscule fraction de la distance ? Je ne sais pas trop. Je suis poche en maths. Moi, ce que j'aime, c'est l'histoire et le français. Mais bon, là, on est en vacances. On ne parlera pas d'école quand même. J'adooooore trop les vacances. Surtout ici. Surtout à la plage. Tu vas voir, tu ne voudras plus repartir. Je suis tellllllllement contente d'être enfin arrivée. Vous allez me raconter tout ce que vous avez fait depuis votre arrivée. Bande de chanceuses, vous étiez là avant moi. Ahhhhhh…

Et là, Noalie s'assoit enfin, juste entre nous, sur la chaise que Kathy lui a dénichée.

Ayoye ! Je n'avais jamais vu un tel moulin à paroles. J'ai cru qu'elle allait manquer d'air. Elle a dit tout ça d'une traite sans même être essoufflée. Une pro de la parole ! Finalement, ce n'est pas une tornade, c'est un véritable tsunami, cette fille ! Je suis restée figée debout, la bouche ouverte à l'écouter sans même avoir le temps de réagir. Ça surprend, disons. Parce que je suis un peu étourdie par tout ce qu'elle vient de dire, je me rassois aussi. Et elle continue :

— C'est hallucinant, mais je t'imaginais juste comme tu es, qu'elle me dit en me prenant les mains et en plongeant son regard dans le mien.

Cette proximité précipitée me désta-
bilise un peu. Mais, en même temps, il
est totalement impossible d'y résister.
Il y a une énergie follement positive
qui se dégage de cette fille. Toutefois,
je me demande ce que ça veut dire,
qu'elle m'imaginait juste comme je suis.
Physiquement ? Sûrement… Parce que
présentement je ne suis pas au top de
ma forme. J'espère qu'elle ne m'imagine
pas muette et coincée !

Puis, sans rien demander – je ne suis
pas surprise – , Noalie attrape notre couverture, qui traînait par terre, et la met sur
elle en ne nous donnant que les extrémités.
Kathy tasse spontanément sa chaise un
peu plus vers Noalie et je l'imite. Sous ce
châle d'amitié improvisé, alors qu'on est
toutes collées, toutes serrées, je me sens
au chaud, bien, en sécurité. Je sens aussi
que mon cœur, réchauffé, peut enfin se
laisser aller et s'ouvrir de nouveau. C'est…
c'est… juste bon !

En moins de quinze minutes top chrono, Noalie nous résume toute sa dernière année. J'apprends tout d'elle. Elle a visité trois musées, a monté une exposition sur Cendrillon à son école et a gagné un prix. Elle a fait du théâtre, mais n'a pas vraiment aimé ça. Elle a plutôt découvert l'impro et fait partie de l'équipe de l'école. Elle a créé des bijoux avec son amie Catou afin de ramasser des sous pour un marathon de films au cinéma. Elle a presque poché ses maths, mais a finalement obtenu la note de passage en allant à toutes les récups sur l'heure du dîner, ce qui lui a aussi permis de rencontrer Matéo, un « suuuuuuuuuuuuper » gars avec qui rien ne s'est passé parce qu'elle croit qu'il ne l'a même pas remarquée. (Ça, j'en doute ! Qui peut ne pas remarquer Noalie ?) Elle s'est chicanée et réconciliée au moins douze fois avec sa *best* Eva. Elle fait de la Zumba après dîner.

Il y a un nouveau prof d'anglais à son école et parce qu'il est «suuuuuuuuuper», elle a de meilleures notes. Elle a une nouvelle chambre au sous-sol, deux fois plus grande que celle qu'elle avait avant et elle y a placé un divan en plus de son lit.

— Faudrait que vous voyiez ça ! C'est capoté !

— Il est de quelle couleur, ton divan ?

— Mauve. Pourquoi tu me demandes ça ?

— Moi aussi, j'ai un divan dans ma chambre.

— Nooooooooooooon ? C'est capoté !

— C'est ce que je me disais aussi…

Je lui souris.

Eh bien, on est peut-être plus pareilles qu'on ne le croit. C'est fou comme nos chemins peuvent se ressembler. Je suis sur le point de me laisser emporter dans un tourbillon de souvenirs et de rêveries, et potentiellement de perdre le simple bonheur de profiter du moment présent, quand Noalie sort un papier tout chiffonné de la poche de ses jeans. Bang! Je suis de retour ici maintenant, là, tout de suite. Ah ah! Je ne suis pas la seule à cacher un bout de moi dans ma poche arrière. Je suis trop curieuse de savoir ce que c'est... Clairement, il s'agit d'une page arrachée de son journal intime. Une intuition de fille. Et puis, tout griffonné, plein de gribouillages et de ratures, de cœurs dessinés en rouge, etc., ça ne trompe pas. Noalie déplie la page et essaie de la défroisser un peu avant de la coller théâtralement contre son cœur en fermant les yeux. J'ai hâte de savoir ce qu'il y a dessus. Mais je ne le saurai jamais, car elle le lance dans les flammes dansantes du feu.

— Ahh! Mais qu'est-ce que tu fais? m'exclamé-je.

— Voilà! L'été peut réellement commencer.

— Comment ça ? dis-je, n'y comprenant rien.

— J'ai brûlé les souvenirs.

— Hein ?

C'est Kathy qui prend la relève pour les explications :

— Chaque année, le début des vacances is *like* le 1er janvier...

Les points d'interrogation dans mes yeux forcent Noalie à ajouter :

— Ben oui, tu sais... le 1er janvier, on prend des résolutions, on fait le bilan de ce qui a bien été dans notre vie et de ce qui a été tout croche. Il y a ce qu'on veut garder comme beaux souvenirs, mais il y a surtout TOUT ce qu'on voudrait oublier... Tout ce qui nous a fait de la peine ou qui nous a mis en colère. Ce pour quoi j'ai pleuré, mes échecs, les bouts difficiles, les chicanes, les trucs que je ne veux plus jamais vivre, tout ça, je l'écris sur une feuille et, le premier soir à Cape Cod, je le brûle dans le feu.

Finito! Ça n'existe plus! Je le regarde brûler, disparaître et s'envoler en fumée. Bye bye, les soucis! Je peux recommencer à neuf...

— Mais... mais... ça ne s'efface pas comme ça. Ils restent en toi. Comme des petites égratignures sur ton cœur, souvent...

— Ben, je le sais bien. Tu penses que je suis nounoune ou quoi? me répond-elle sans méchanceté, mais en roulant les yeux comme si je venais de dire la plus grande niaiserie du siècle.

Elle poursuit:

— Je sais que ça laisse des traces, toutes nos peines, mais de voir mes « problèmes », dit-elle en mimant des guillemets dans les airs avec ses doigts, se désagréger sous mes yeux et être réduits à néant avec de la fumée en prime, ben, ça me fait du bien. Comme si je m'en détachais! Comme ça, je ne les traînerai plus avec moi. C'est un moyen de ne plus leur laisser le droit de grandir en moi. Ils ne peuvent plus prendre racine de plus en plus profondément dans mon cœur. Ils ne peuvent plus me grafigner et faire de nouvelles petites *scratchs*. Tu comprends ? Un peu comme si je pouvais repartir à zéro…

— Non… oui… ben, je veux dire que je te comprends, bafouillé-je.

Et je comprends. Pour vrai. C'est une façon de nous débarrasser de notre bout de noirceur afin d'avoir de la place pour y remettre plus de rose par la suite. C'est un bon plan, je crois, mais je n'ai pas le temps d'y réfléchir plus longuement, car je remarque que Kathy me pointe du doigt discrètement en faisant un signe de tête à Noalie. Quoi ? Qu'est-ce qui se passe ? Sans même que j'aie pu leur demander ce qu'elles mijotent, Noalie se lève d'un bond, m'attrape la main et m'entraîne à sa suite, en accrochant Kathy de la même manière. À l'intention des parents, elle lance :

— On va se promener sur la plage, toutes les trois. Pas besoin d'envoyer des gardes du corps. On reste dans votre champ de vision.

C'est la « tactique Noalie », je crois. Elle ne laisse pas place à la discussion en étant super convaincante. On dirait qu'elle a le don de prévoir ce que les autres vont dire et elle répond avec aplomb à leurs inquiétudes et à leurs doutes avant même qu'ils n'aient eu le temps de les exprimer. Elle est vraiment douée ! Moi, j'ai souvent tendance à tourner trop longtemps autour du pot et ma mère finit par me dire : « Ok, Fred ! Va direct au but. Tu veux quoi ? » Je vais prendre exemple sur Noalie cet été ; ça ne peut que m'être utile, d'être aussi directe.

Plus on s'éloigne de la maison, plus la noirceur nous enveloppe doucement. On se distingue les unes les autres grâce au reflet de la lune pleine. Se parler dans la pénombre a quelque chose d'un peu magique. Comme si on pouvait se permettre plus d'intimité. On ne se voit pas vraiment, on ne croise pas le regard de l'autre, on peut même essuyer une larme sans que personne le remarque.

— Tu vas voir, tu vas adorer ça, ici. C'est tellement génial ! Ça ne ressemble à rien de ce que tu as vécu avant, j'en suis certaine…

— Mais tu ne t'ennuies jamais de tes amis ? Moi, je trouve ça terrible.

— J'ai une amie ici. Cet été, j'en aurai même deux… si tu le veux !

— Oui… euh… oui… aux deux choses, dis-je en bégayant un peu.

Ouf ! Ses réponses me déstabilisent toujours. Et elles me gênent aussi. Là, je remercie la nuit d'être assez noire pour que Kathy et Noalie ne remarquent pas que je suis certainement rouge tomate. Fiou ! J'essaie de me reprendre pour être plus claire.

— Mais je voulais dire : t'ennuyer de tes amis d'école ? Tes amis de toujours ?

— Tu sais, Frédérique, il n'y a pas de concours en amitié. Pas de piédestal, ni de trophée ni de médaille !

— Ouin… je saisis, mais moi j'ai l'impression de manquer des bouts de leur vie en étant loin d'eux… Pas toi ?

— Euh… non ! Mes amis aussi manquent des bouts de ma vie quand je suis ici. Dans notre vie, je pense qu'on ne doit pas compter les moments qu'on rate, mais bien les moments totalement WOW qu'on vit.

— Mais…, tenté-je.

Pas que je veuille à tout prix être obstineuse, mais je sens que je peux aller au fond des choses avec Noalie. Elle a les réponses que j'ai besoin d'entendre, je crois bien. Et j'ai terriblement besoin de les entendre si je veux vivre un bel été. Un vrai bel été. Pas un été où je voudrais tout le temps être ailleurs. Je veux être bien, ici, là, tout de suite. Noalie a sûrement une recette pour moi, non?

— Écoute, Frédérique, je te dis que tu vas aimer ça. Je le sais. Tu penses que je dis n'importe quoi, hein? J'entends ta petite voix qui ne parle même pas. Je l'entends trotter dans ta tête. Eh bien, non, je ne dis pas n'importe quoi. Tu sais pourquoi? Parce que j'ai déjà été comme toi. Mais j'ai commencé à aimer mon été le jour où j'ai arrêté de m'empêcher d'aimer ma vie, même si elle changeait de plan, même si elle ne prenait pas la même route que l'année d'avant, même si elle était différente, même si elle s'éloignait du plan initial. Tu avais prévu passer tous les étés de ta vie, ou du moins celui-ci, avec tes amis? Bravo! Mais si ça n'arrive pas, tu as deux choix. Juste deux. Le premier: tu t'empêches d'aimer ce que tu vis. Du genre que chaque fois que tu pourrais avoir du plaisir, tu te mets à ramer à contre-courant pour t'enfuir.

Et tu passes ton été à babouner et à chialer. Le deuxième choix ? Tu te laisses porter par le courant et tu te laisses la chance de voir si tu vas vraiment aimer ça. Tu essaies, sans arrière-pensées négatives. Tu te donnes le droit d'aimer ce que tu vis. Tu te donnes le droit d'aimer, point.

— Tu es déjà passée par là ?

— C'est sûr ! Mais pas question que je reste spectatrice de la vie qui passe. Que j'attende bêtement la fin de l'été en ne m'amusant pas. Maintenant, j'aime tout. Ou du moins j'essaie d'aimer au minimum une chose chaque jour, chaque heure, chaque minute… et, un jour, tu te mets à aimer toutes les secondes de ta vie. Ou presque.

— Et comment on fait ça ? J'ai comme drôlement besoin d'une recette…

— C'est facile, tu vas voir… Kathy et moi, on va être là pour toi. On sait parfaitement ce dont tu as besoin. Hein, Kathy ?

— *Of course !*

— C'est quoi ? De quoi ai-je besoin ? demandé-je, curieuse et pressée de me débarrasser de ma morosité.

— LA CURE DE PLAGE, disent-elles en chœur.

— Une cure de plage ? Comme une thérapie ?

— Donne-nous deux jours et tu vas être comme neuve !

— Et qu'est-ce qu'on fait dans une cure de plage ?

— *We learn to love…*

— On apprend à aimer la vie. Plus encore. Et surtout peu importe ce qu'elle nous amène.

Dans ma tête et dans mon cœur, je dis « oui ». Je hurle « oui ». Je le dis mille fois. Même pas besoin de le dire tout haut. Noalie le comprend. Avec sa spontanéité bien à elle et malgré qu'on ne se connaisse presque pas, elle me prend dans ses bras.

— C'est un *deal* ? Mais tu vas devoir faire tout ce qu'on te dit.

Je n'ai même pas peur. Je leur fais confiance. De toute façon, qu'est-ce que j'ai à perdre ?

Toutefois, je ne m'attendais pas à ce que ma cure de plage commence tout de suite. Noalie sort son iPod de ses jeans et met le volume au maximum sur une musique que je ne connais pas. Un rythme latin qui donne envie d'apprendre à danser la salsa.

— *Go !* On danse. Ça fait partie de la cure. Danser sous les étoiles, près de la mer, c'est magique. On oublie tout. Même danser à la maison, ça donne le même effet. Mais, dehors, c'est juste trop cool.

— *Under the rain too…*

— Quoi ? Sous la pluie ? m'étonné-je. Il faut danser sous la pluie, toute dégoulinante ? Bizarre !

— Tut tut tut ! Fred, danser sous la pluie, c'est faire un pied de nez à la terre entière ! C'est montrer que, malgré une météo archi nulle, on est heureuse quand même. On ne laisse pas notre moral s'écraser pour quelques gouttes d'eau. C'est montrer qu'on est plus forte que la pluie ou que les imprévus de la vie.

— Oh, je n'avais pas vu ça ainsi.

— Et voilà ! Première leçon de ta cure de plage ! Danse. Comme si personne ne te voyait. Et c'est le cas, il fait noir. Plus tard, tu danseras en plein soleil sans t'occuper des autres qui te regarderont. Alors, ce soir… danse ! Danse ! Danse ! Et pense à rien d'autre que ça.

C'est ce que je fais.

À me trémousser ainsi sous les étoiles, j'ai eu les jambes en réelle compote. J'ai même eu de la difficulté à monter les marches jusqu'à ma chambre. Ouf !

J'ai dansé, sauté, dansé, sauté jusqu'à ne plus rien sentir de pesant sur mon cœur. J'ai dansé, sauté, dansé, sauté jusqu'à ne plus me souvenir de mes peines. J'ai dansé, sauté, dansé, sauté, et plus je le faisais, plus je me sentais légère. Enfin ! ENFIN !!

En me glissant dans mon lit, je trouve mon iPod. Je prends trente secondes pour écrire :

> J'ai dansé sous les étoiles et c'était merveilleux ! Totalement ! J'ai le cœur léger comme une plume et, demain, ça va continuer.

Je ferme les yeux en souriant. Je clique sur « Envoyer » et en même temps j'entends le son qui m'avertit de l'arrivée d'un texto… le mien ! Je me suis envoyé ce message à moi-même. Juste pour me faire réaliser deux fois plutôt qu'une la fantastique soirée que je viens de passer.

« Une barque, vous avez ça, vous, une barque ? »

Durant notre séjour dans l'affreuse petite maison, seule avec ma mère, j'avais pris l'habitude de me réveiller sans cadran. J'attendais que la combinaison soleil et repos me pousse hors du lit. Sauf les matins de pluie où j'ai dû en sortir quand ma vessie m'y obligeait. Autrement, j'aurais pu y passer la journée. Bref, mes matins étaient relax.

Aujourd'hui, j'ai été dérangée en plein milieu d'un rêve dont je n'ai gardé aucun souvenir (c'est toujours comme ça, même quand on sait que c'est un bon rêve !) parce que quelqu'un tambourinait énergiquement sur la porte de ma chambre. Le bruit devenant de plus en plus insistant, j'ai délaissé mon songe et replongé dans la réalité. Je savais qui était là.

— Entre, Noalie !

J'avais misé juste. C'était elle.

— Encore au lit ? Debout, Fred ! Le jour est levé depuis un bout ! C'est le début de ton programme de cure de plage. Pas une minute à perdre. Je t'attends en bas. Mets ton maillot et des vêtements confos par-dessus. Vite !

Impossible de négocier quelques minutes de plus de flânage. Je m'habille en vitesse, mets mes lunettes de soleil sur ma tête et retrouve mes deux amies à la table de la cuisine. Elles ont eu le temps de préparer un « déjeuner pour emporter ». On part donc en pique-nique. Youpi !

— Enlève tes souliers ! me lance Noalie quand on arrive à la plage. On n'a pas même pas besoin de sandales. L'été, c'est fait pour être nu-pieds ! Allez !

J'imite mes nouvelles amies. C'est vrai que le contact du sable chaud sous les pieds et même entre les orteils a un effet apaisant. Ça chatouille un peu. Ça glisse. C'est différent. Et j'ai bien besoin de ça!

Installées sur la digue de rochers, on attaque notre repas avec le soleil sur le bout du nez. Kathy et Noalie prennent leur temps pour manger les fruits, les cubes de fromage et les croissants. Moi, j'engloutis mon cheddar et mon croissant rapido presto. J'ai hâte de commencer ma cure pour nettoyer mon cœur.

— Il n'y a pas d'urgence, Fred! Relaxe! À la plage, la vie coule plus doucement. Faut que tu changes ton rythme. Doucement. Prends le temps de savourer. Quand est-ce que tu peux faire ça chez vous, avoue? On est tout le temps à la course. Surtout quand on a de l'école, alors là, apprends à ralentir un brin! On va vivre plus lentement…

Oh! Cette réflexion n'est pas fausse. Je m'efforce donc de mastiquer plus lentement, en prenant de grandes respirations avant chaque bouchée. On dirait que, d'un coup, les fraises goûtent encore meilleur. Fou, quand même!

— Ok! *Let's begin!*

— Prête, Fred?

— Oui, les filles! Je suis *ready!*

Ma phrase en deux langues les fait sourire. Je suis contente de mon coup. En fait, j'ai voulu détendre l'atmosphère. Je n'ose pas le dire, mais cette cure de plage me rend un peu anxieuse. J'espère tellement que ça va marcher. Noalie stoppe les engrenages, dans ma tête, qui commencent à tourner trop vite.

— Bon! On débute par un tour en barque, annonce-t-elle.

— Oh non, les filles, je ne vous l'ai pas dit… Je ne savais pas. J'aime l'eau, mais pour me baigner, pas pour faire du bateau. J'ai mal au cœur…, dis-je, prise de panique.

Zuuuuut ! Je vais tout faire rater. Je ne réussirai pas et je resterai tout l'été avec mon cœur malheureux, lourd comme un rocher. Alors que je sens les larmes me monter aux yeux, Noalie me rassure :

— Woo, là ! Tu vois une vraie barque ici ? Des gilets de sauvetage ? On se calme, Miss Fred-je-panique. On ne part pas en mer.

— Mais t'as dit « une barque »..., marmonné-je.

— Peux-tu me laisser finir ? Relaaaaaaaaxe ! T'es toujours pressée ! Tu sautes trop vite aux conclusions ! C'est une barque virtuelle... une fausse barque... une barque imaginaire, si tu veux, explique-t-elle.

Ouf ! Je suis à la fois soulagée et bien mêlée. Pourquoi appeler ça une barque si ce n'en est pas une ? Qu'est-ce que ça donne, à part me stresser ? Une chance que je veux vraiment me sentir mieux parce qu'autrement je m'enfuirais dans la maison, je sauterais dans mon lit et je me recoucherais pour quelques heures encore.

Noalie reprend :

— C'est simple, tu vas voir. C'est un peu comme le feu hier soir. Cette barque, c'est comme une façon de te débarrasser de tes soucis dès que tu en ressens le besoin. Chaque jour, si c'est nécessaire. Nous, on le fait chaque matin pour ne pas passer nos journées à ruminer des trucs pas cool qui nous empêchent de profiter du moment présent parce qu'on a juste ça en tête. On prend notre barque personnelle et on y garroche tous nos soucis et tout ce qui pourrait nous gâcher notre journée. Ensuite, tu enlèves les amarres qui retiennent la barque à toi et tu la regardes quitter le rivage, s'éloigner de plus en plus à chaque vague jusqu'à ne plus la voir au bout de l'horizon.

— Avec tous mes soucis dedans ?

— Oui, tous. Autant une chicane avec ta mère, une remarque blessante que quelqu'un t'a faite, une peine qui traîne, une mauvaise note à un examen, ton découragement, ton stress, n'importe quoi !

— Tu regardes *go away your problems*, ajoute Kathy.

— Et ensuite ? que je demande.

— *You breathe better...*

Pensant sûrement que je n'ai pas compris ce qu'a dit Kathy, Noalie croit bon de traduire :

— Tu respires mieux. Tu ne te sens plus pognée à l'intérieur et tu ne restes plus prisonnière de tes colères et de tes peines.

— Un peu comme quand on écrit dans un journal intime ?

— Exact, répond Noalie.

Ah ! Ce n'est pas fou ! Au lieu de tout garder à l'intérieur, on évacue. On jette à la mer. Plouf! Qu'elle coule, même, cette barque!

— Même quand je ne suis pas au bord de la mer, j'imagine ma barque dans ma tête, déclare Noalie. Comme ça, je suis presque tout le temps bien…

On s'assoit sur le bout des rochers, les pieds dans l'eau, et on remplit nos barques sans rien dire. On les regarde partir au loin. Je souffle même sur l'eau pour que la mienne disparaisse plus vite.

C'est rare de ne pas entendre Noalie parler. Je reste un peu hypnotisée par la mer et ses vagues. Dans ma barque, j'ai mis ce qui me restait de ma peine d'être loin de mes amis et mon ennui.

— Bon!

C'est Noalie (bien sûr!) qui met fin à notre cérémonie de la barque.

— On n'attendra pas qu'elle revienne quand même…, dit-elle.

— On fait quoi, maintenant?

— Yogatation, répond Kathy.

Le yogatation est un mélange unique – inventé par mes deux amies – entre le yoga, la méditation et la natation. Rien de moins ! On commence par faire quelques poses de yoga sur le sable, près des rochers. Parfois, on a même les pieds dans l'eau. Mais, contrairement au vrai yoga qui demande calme et silence, celui-ci se fait dans le rire et la bonne humeur. On a le droit de parler et de s'aider. Ensuite, parce qu'on transpire à faire du yoga en plein soleil, on se jette dans l'eau. Hop, dans la mer ! On se laisse flotter en prenant de nouvelles poses qu'on imagine au fur et à mesure : le crabe gracieux, l'étoile de mer à quatre pattes, la chandelle mouillée, la crêpe au soleil, l'algue fatiguée, etc. La séance de yogatation se termine par un moment de repos sur une serviette étendue sur le sable à relaxer et à méditer en observant la course des nuages.

Que c'est bon !

La journée est passée super vite. On a dîné en vitesse à la maison, puis on est retournées à la plage. On a joué au volleyball avec un groupe de jeunes. On a refait du yogatation, on a lu, allongées sur le sable, et on s'est raconté nos vies. On a marché longtemps sur le bord de l'eau. Sans souliers. Sans sandales. Pieds nus. Il paraît que ça fait partie de la cure de plage. C'est symbolique, selon Noalie : on est libres de la tête aux pieds ; rien ne nous enferme ni ne nous tient prisonnières. Noalie m'étonnera toujours. En fait, par bouts, je trouve qu'elle me ressemble. Beaucoup, même.

Avant de rentrer pour le souper et la douche, Kathy et Noalie m'ont donné un dernier défi. Je dois trouver une activité qui nous fera du bien et qu'on peut faire sur la plage dans la soirée.

Quoi ? Quoi ? Quoi ? Je me suis posé la question mille fois sous la douche.

Puis j'ai trouvé.

❀ ❀ ❀

Génial de partager une grande maison où habitent parfois de jeunes enfants… En fouillant un peu, je déniche un paquet de crayons feutres dans un tiroir de l'armoire de jeux du salon. Hourra ! Je trouve aussi une affiche de la pièce de théâtre : on va pouvoir utiliser le verso pour dessiner. Et voilà ! Je réunis tout ce dont j'ai besoin pour ma partie de la cure de plage. Je mets tout dans mon sac et descends pour le souper.

Une fois le repas terminé, notre trio repart sur la plage. Place à notre séance de gribouillage collectif. J'ai hâte de dessiner. Ça me fait penser aux toiles que j'ai faites pour l'opération « dé-graffiti »[6]. Je suis presque certaine que mes deux amies vont aimer…

Je ne me suis pas trompée.

Elles a-do-rent. Noalie le dit au moins vingt fois et Kathy hoche la tête chaque

[6] Voir le 9e tome de la série : *Graffiti… d'amour !*

fois pour approuver. Au départ, elles ont été surprises.

— Je n'ai pas de grands talents en dessin, tu vas voir…, a dit Noalie.

— *Same thing for me*, a ajouté Kathy.

Mais je les ai rassurées :

— Ce n'est pas une question d'être bonne ou non. On s'amuse et c'est tout. On ne réfléchit pas. On y va spontanément. On laisse presque le crayon guider notre main. L'inspiration vient en créant, parfois. Il faut seulement la provoquer un brin… Regardez autour de vous. Regardez en vous. Et laissez-vous aller ! Ce n'est pas plus compliqué !

Après avoir mis nos trois serviettes en forme d'étoile sur le sable et l'affiche au centre, on dessine, dessine, dessine jusqu'à ce que la noirceur nous oblige à arrêter. On a tellement hâte de voir le résultat qu'on court à l'intérieur pour admirer notre œuvre collective.

C'est beaaaaauuuu! Très bleuté avec des touches de jaune, de rose et d'orange. Au total, il y a deux soleils, trois lunes et des étoiles roses. Notre environnement et notre cœur – nos rêves peut-être aussi – nous ont inspirées et ont presque choisi les couleurs à notre place.

Même les adultes restent ébahis devant notre dessin. On leur promet de leur en faire un chacun s'ils nous trouvent un magasin pour renouveler notre matériel. Hourra! On va dessiner encore. Je suis comblée.

On finit la soirée devant un film, toutes les trois blotties sur le divan, sous une grande couverture. Ça me rappelle mes soirées avec Emma, Rosalie et Zoé. Mais, pour une fois, penser à elles ne me fait pas mal en dedans. Je ferme les yeux et je dis « merci » dans ma tête.

Une fois le film terminé, on se souhaite bonne nuit et on s'éclipse dans nos chambres. C'est là que je comprends que la cure de la plage peut véritablement guérir les bobos du cœur.

Pourquoi je comprends cela en rentrant dans ma chambre ?

Mon iPod est là sur la table de chevet. Il y a passé la journée entière. Je ne l'ai pas touché une seule fois. Je n'ai même pas eu envie de le faire. En fait, je l'ai complètement oublié.

Là, tout de suite, j'aurais envie de savoir si Fred, Rosalie, Emma et Zoé ont une barque et s'ils connaissent cette technique d'évacuation de nos soucis. Je leur écrirais : « Une barque, vous avez ça, vous, une barque ? » juste pour attiser leur curiosité et les inciter à me répondre. Mais je ne peux pas. Ma batterie est vide.

Tant pis ! Je me reprendrai demain. Ou plus tard. Je ne sens pas vraiment l'urgence de leur parler. Pas comme avant, en tout cas.

Pour le moment, j'ai hâte de dormir et de rêver à demain. Demain avec mes deux nouvelles amies.

« Surprise ! »

Les jours suivants ont été tout aussi merveilleux. On a pris soin de faire voyager nos barques chaque matin, on a fait du vélo, du yogatation, des dessins collectifs, du volleyball, des châteaux de sable, des danses en plein soleil et en pleine averse, toujours nu-pieds, toujours plus unies toutes les trois.

J'ai écrit des courriels à mes amies au loin et à Fred, leur racontant tous les détails de ma nouvelle vie. Au début, j'avais peur qu'ils soient un peu vexés – ou même fâchés – de savoir que je m'amusais autant et que j'avais de nouvelles grandes amies avec qui je passais toutes mes journées (et même mes nuits, car Kathy et Noalie ont traîné le matelas de leur lit dans ma chambre qui est devenue notre repaire !).

Ça n'a pas été le cas. Au contraire, même! Fred était trop content pour moi et il m'a confié :

> Je peux m'amuser plus ici,
> moi aussi, sans penser que toi,
> là-bas, tu es toute seule et que
> tu t'ennuies. Je suis super content!

Rosalie m'a d'abord envoyé un immense

> ENFINNN !!!

puis elle m'a écrit un courriel me disant que c'est certain qu'elle va les aimer, mes nouvelles amies. Elle veut qu'on s'organise pour voir Noalie quand je serai de retour à la maison. Emma m'a assuré qu'elle ne se sentait pas menacée.

> On a toutes besoin d'être bien,
> tu sais! Arrête de t'en faire!

Et Zoé a affirmé qu'elle avait l'impression de retrouver la « vraie Fred » et non l'espèce de zombie perpétuellement en colère que j'étais au début de l'été.

J'étais tellement heureuse. Tous les morceaux de ma vie se plaçaient. Je ne pensais pas que ça pourrait être mieux encore.

Pourtant, c'est arrivé.

Quatre semaines et quelques jours après mon arrivée ici à Cape Cod, alors que je suis avec Kathy et Noalie sur la plage comme tous les avant-midi, je reçois de Rosalie un texto qui dit :

SURPRISE !

Ça m'étonne. On a pris la nouvelle habitude de ne s'écrire que le soir et même par courriel au lieu de se texter durant la journée. On risque moins de se déranger. Et de mon côté, ça fait partie de mon programme pour arrêter de vouloir vivre à deux places en même temps.

Je réponds par un simple

Quoi ???

incapable de contrôler ma curiosité.

Rosalie doit avoir une grande nouvelle à m'annoncer.

J'attends une minute et toujours rien. Elle s'est peut-être trompée.

Puis j'entends la voix de ma mère au loin qui crie mon nom. Je me retourne et la vois qui me fait de grands signes, à une dizaine de pas de la maison. Ah oui, c'est à nous de préparer le dîner. Alors, je prends mon iPod pour ne pas manquer la réponse de Rosalie et je me dirige vers la maison.

Je n'aurais jamais pu imaginer ce que je vois, là, au milieu de la cuisine.

Rosalie.

Rosalie et ses valises.

Rosalie, là, ici, tout près de moi.

Je crie tellement, pleure tellement, souris tellement, serre tellement mon amie dans mes bras ! J'ai besoin de vérifier que c'est bel et bien vrai.

Que d'émotions !

Vraiment, quand je disais que j'étais heureuse et que je ne pouvais pas l'être plus, je me trompais. Mais, là, c'est clair que je suis au top du top du top du bonheur !

Ma mère a tout manigancé avec Rosalie et sa mère. Mon amie va passer une semaine avec nous. C'est juste trop beau !

On a vécu sept jours complètement magiques, hallucinants, formidables, merveilleux et tous les autres synonymes possibles. Rosalie avait apporté la liste de tout ce qu'elle rêvait de faire à la plage. On a tout fait. TOUT. On a ajouté un quatrième matelas dans ma chambre et on a vécu au max. Comme elle l'avait prévu, Rosalie est devenue la grande copine de Kathy et de Noalie.

Dire que ç'a été LE grand moment de mes vacances n'est pas assez fort. J'ai dû me pincer au moins des centaines de fois (par jour !) pour être certaine que je ne rêvais pas. J'ai aimé chaque minute des vacances avec Rosalie. Chaque seconde même. Mais, évidemment, la semaine est passée trop vite. Trop. Trop. Trop.

Aujourd'hui, c'est le jour du départ. Je me réveille ultra tôt. Le soleil vient à peine de se lever. Avant que mes amies ne sortent de leur sommeil, je pense à tous les nouveaux souvenirs qu'on vient de se créer, ensemble, dans la grande maison sur le bord de la plage. Waouuuh ! Une chance que je n'ai pas continué de croire que Kathy ne deviendrait jamais mon amie. J'en aurais perdu, du bon temps !

En regardant mes trois amies endormies et en pensant à tout ce qui m'est arrivé depuis que je suis à Cape Cod, je comprends que notre cœur ne peut jamais arrêter d'aimer, de s'ouvrir et

de grandir. Même si on le force à se bra-
quer et à refuser les tentatives d'amour
supplémentaire, on ne peut pas résister.
Autrement, c'est là qu'on se fait mal.
Il gonfle davantage, rempli de nouvel
amour, mais au moins il ne se serre pas
jusqu'à s'étouffer. On ne garde pas un
cœur prisonnier. Il respire de l'amour
pour vivre. Et il en a besoin de plus.
Toujours.

Moi, maintenant, je sais. La plage,
le sable, la mer, le soleil et mes amis
me l'ont appris. Mon cœur doit aimer.
Aimer beaucoup. Aimer encore. Aimer
plus fort. Il n'en finira jamais d'aimer.
Jamais.

ÉPILOGUE
« À tout à l'heure... »

Dire au revoir est déchirant.

Quand on sort de la chambre toutes les quatre, on essaie de faire comme si ce n'était qu'une autre journée qui commençait, mais ça ne fonctionne pas. On sait que Rosalie doit partir. Là, dans moins d'une heure. C'est triste. On tente d'accrocher des sourires à nos lèvres, de dire des blagues, mais rien n'y fait. L'heure approche.

On se fait mille accolades et échange des dizaines de promesses. On va se revoir. On va s'écrire. On va revenir ici tous les étés de notre vie. On n'oubliera jamais celui-ci.

On n'en finit plus de recommencer les au revoir. Puis Rosalie embarque dans la voiture. Ma mère et celle de Noalie vont la reconduire à Boston où ses parents doivent venir la chercher. Je ne peux pas les accompagner, car elles ramèneront ensuite trois personnes, pour le théâtre, de Boston jusqu'ici. Mon amie baisse la vitre pour que je puisse lui donner une dernière accolade et un bisou sur la joue. Le douzième probablement.

Puis l'auto démarre. Je lève la tête, essayant de paraître forte et sûre de moi. Pourtant, en moi, c'est la furie totale. Je ferme les yeux quelques secondes pour ne pas pleurer.

J'entends tout. Le bruit du frein qui se soulève et celui de l'accélérateur qui fait avancer la voiture. Quelques dizaines de centimètres, doucement, lentement. Puis un mètre, puis deux. Je lève la main d'un geste mécanique. Kathy et Noalie, jusque-là un peu en retrait quelques pas derrière moi, s'avancent et m'entourent. On regarde l'auto s'éloigner. Le bruit du moteur ne devient plus qu'un fin murmure. Rosalie est partie.

Soudain, comme dans un film, l'auto s'arrête.

Rosalie descend en vitesse et court vers moi. Je l'imite et lui saute dans les bras. Je crois qu'une autre fin est possible. Elle va peut-être rester… Qui sait ? Ma surprise n'est peut-être pas terminée…

Non.

Rosalie m'écarte d'elle un peu et prend mon visage entre ses mains.

— Là, je n'ai peut-être pas été claire. Mais tu continues d'aimer ta vie. Celle-là. La tienne. Que je ne te voie pas perdre une seule minute du reste des vacances à avoir de la peine. Pense plutôt à tout ce qu'on a vécu et tout ce qu'on s'est promis. Tu aimes ta vie. Là, tout de suite ! Et moi aussi, je vais faire pareil. Un cœur, c'est fait pour aimer ! Alors, *go* ! Avant que je remonte dans la voiture, je veux te voir partir vers la plage avec Kathy et Noalie. *Go ! Go !* On se revoit bientôt… À tout à l'heure, ma belle !

Je fais comme Rosalie m'a demandé. Dès qu'elle se met à marcher vers la voiture où ma mère l'attend, je prends le chemin de la plage avec Kathy et Noalie sans même me retourner.

On passe une belle journée. J'ai quelques petits élans de mélancolie, c'est sûr. Mais j'en mets une partie dans ma barque et, les autres, je les dompte avec mes amies.

Le soir avant de me coucher, je reçois un court texto de Rosalie :

Suis arrivée à la maison.
À tout à l'heure.

Ma réponse est facile à trouver.

À tout à l'heure… à toute notre vie devant ! Bonne nuit, mon amie !

Les secrets du divan rose

Comme Frédérique, as-tu déjà pensé ne jamais pouvoir être amie avec quelqu'un puis… changé d'idée ? Parfois, sautes-tu trop vite aux conclusions ? Juges-tu trop rapidement ? Comment prends-tu le temps de découvrir une nouvelle personne ? Quelles qualités recherches-tu chez tes amies ?

Tu as une histoire à raconter ? Écris-moi !
divanrose@boomerangjeunesse.com

Ce livre termine la série *Les secrets du divan rose*. C'est ici que prennent fin les histoires des quatre copines… sur papier ! À toi d'imaginer les autres aventures qu'elles pourraient vivre ensemble.

Pour tout savoir sur la série et les présences de Nadine Descheneaux dans les salons, les écoles et les bibliothèques, visite régulièrement le site **nadinedescheneaux.com**.

Dans la même collection

978-2-89595-456-9

978-2-89595-457-6

978-2-89595-458-3

978-2-89595-485-9

978-2-89595-524-5

978-2-89595-547-4

978-2-89595-606-8

978-2-89595-604-4

978-2-89595-669-3

978-2-89595-764-5

978-2-89595-564-1

978-2-89595-602-0